le livret du Français à l'étranger

MINISTÈRE DES AFFAIRES ÉTRANGÈRES

6ᵉ édition

© MINISTÈRE DES AFFAIRES ÉTRANGÈRES
ISBN : 2-11-085043-4

Les Français qui s'expatrient font un choix dont il convient de souligner l'importance pour l'avenir de notre pays. Ils sont le plus souvent parmi les meilleurs de ceux qui sortent de nos Universités, de nos Ecoles ou qui ont acquis une compétence professionnelle dans nos entreprises et dans nos administrations. Ils assurent une présence humaine française de grande qualité partout dans le monde. Conscient de ce fait, j'ai tenu à ce que les questions les touchant soient suivies avec une particulière attention. C'est la raison pour laquelle j'ai demandé à M. Didier BARIANI, Secrétaire d'Etat, de s'y consacrer tout spécialement.

Avec un million et demi de compatriotes installés à l'étranger, soit 2,5 % de la population française totale, nous venons loin derrière la plupart de nos partenaires des pays industrialisés. Cette faible implantation française à l'extérieur est particulièrement ressentie dans des régions qui sont entrées dans une période de mutations sociales et économiques fondamentales telles que l'Asie du Sud-Est ou l'Amérique latine.

Cela est dû, je crois, par-delà les nécessaires évolutions des mentalités qui restent à susciter, aux problèmes réels et concrets qui se posent à ceux de nos compatriotes qui seraient disposés à envisager une installation de quelques années hors de l'hexagone.

Certes, beaucoup a déjà été fait pour tenter de remédier à leurs difficultés. Je tiens tout d'abord à rendre hommage aux représentants des Français de l'étranger, Sénateurs et Délégués, désignés ou élus. Leur contribution est essentielle pour nous permettre de saisir les préoccupations des Français établis à l'étranger, et leurs suggestions pour trouver des solutions à ces problèmes sont précieuses.

Nous avons fait, et nous poursuivons, un énorme effort pour moderniser et adapter notre réseau diplomatique et consulaire. Avec 237 consulats ou sections consulaires d'ambassades, 587 agences consulaires à travers le monde, notre représentation est une des plus denses et des plus étendues de tous les pays. Nous avons entrepris de doter les plus importants d'entre eux, en nombre d'immatriculés, de moyens informatiques performants, permettant de dégager à la fois du temps et du personnel pour assurer un accueil plus agréable et plus efficace de nos ressortissants qui font appel à leurs services.

Nous sommes également attentifs aux problèmes nombreux qui se posent à nos compatriotes expatriés en matière de protection sociale, de scolarisation de leurs enfants et de sécurité dans certains pays, hélas trop nombreux, où ils sont exposés aux catastrophes naturelles ou aux troubles politiques. Des mesures sont prises dans ces domaines, que « le livret du Français à l'étranger » recense en détail. Vous pourrez, à sa lecture, constater que nous nous efforçons de faire en sorte que ceux qui sont installés au loin ne soient pas privés des avantages sociaux de toute nature auxquels ils peuvent légitimement prétendre. J'ai du reste souhaité que deux nouveaux points importants soient traités dans cette nouvelle édition : « La prévention médicale » et surtout « La réinsertion en France ». Nos compatriotes seront en effet d'autant plus incités à partir qu'ils seront sûrs d'être mieux accueillis à leur retour.

« *Le livret du Français à l'étranger* » *vise à aider nos compatriotes qui ont eu la volonté de s'expatrier, à mieux connaître leurs droits et leurs obligations et à les conseiller dans leurs démarches tant auprès de l'administration française que des autorités de leur pays de résidence. C'est pourquoi j'ai tenu à ce que, pour la première fois, cet ouvrage soit largement diffusé en France. Je souhaite en effet que le rôle des Français à l'étranger soit connu du plus grand nombre possible des Français de France et que les mesures prises en leur faveur soient considérées pour ce qu'elles sont, c'est-à-dire une priorité dans l'action du Gouvernement.*

J. B. Raim

Jean-Bernard RAIMOND
Ministre des Affaires Etrangères

De toutes les responsabilités que m'a confiées M. Jean-Bernard RAIMOND, Ministre des Affaires Etrangères, celle concernant les Français à l'étranger me tient certainement le plus à cœur.

C'est avec la conviction profonde que nos compatriotes expatriés sont le fer de lance de la présence française dans toutes les régions du monde, que je m'attache à remplir au mieux cette mission. En effet, et je voudrais que chacun d'entre eux en soit persuadé, le Gouvernement accorde la plus grande importance aux efforts qu'ils consentent pour diffuser à travers le monde la culture française, nos technologies, et les réalisations de nos industries et de nos services.

C'est pourquoi je tiens à rencontrer les Français installés dans chacun des pays que je visite et j'organise avec eux des réunions de travail pour examiner leur situation et étudier les moyens de faciliter leur séjour.

De nombreuses mesures concrètes ont déjà été adoptées pour inciter plus de Français à se porter candidats à l'expatriation. Je veillerai à ce que d'autres, indispensables, le soient aussi, en particulier pour maintenir en les fortifiant les liens qui les unissent à la France et pour qu'ils puissent notamment se réinsérer harmonieusement à leur retour sur le territoire national.

Nous devons tous en être convaincus : l'avenir de notre pays, c'est-à-dire de chacun de nous, dépend aujourd'hui très étroitement de sa place économique, politique et culturelle dans le monde. La communauté nationale doit prendre conscience du fait que c'est au travers de l'action et de la réussite des Français à l'étranger que se joue une large part de notre destin commun.

C'est dans cet esprit, et avec l'accord du Premier Ministre et du Ministre des Affaires Etrangères, que je forme le projet d'organiser des « Etats Généraux des Français à l'Etranger » au cours desquels nous analyserons les données actuelles de l'expatriation, nous dégagerons des perspectives et nous informerons plus largement nos compatriotes des conditions dans lesquelles ils pourraient, en plus grand nombre, tenter une expérience de vie hors de nos frontières. Je souhaite que ces Etats Généraux soient l'occasion pour toutes les parties prenantes (associations, organisations professionnelles, entreprises, administrations, etc.) d'exprimer leur point de vue et de nous faire profiter de leur expérience pratique.

Aux lecteurs du « livret du Français à l'étranger », que je félicite de leur décision de tenter cette grande aventure, je souhaite de trouver dans leur pays d'accueil toutes les satisfactions personnelles et professionnelles qu'ils méritent et j'espère les y retrouver prochainement.

Didier BARIANI
Secrétaire d'Etat auprès du
Ministre des Affaires Étrangères

Sommaire

Pages

Introduction : Administration, Protection, Information des Français à l'étranger

1. Ministère des affaires étrangères : La Direction des Français à l'étranger et des Etrangers en France 13
   L'information des Français à l'étranger (ACIFE) 15
2. Quelques centres de documentation spécialisés 16
3. Publications administratives utiles 17

1. L'établissement dans le pays de résidence

1.A. Le consulat

1. L'ambassade et le consulat 20
2. L'administration consulaire 20
   a. L'immatriculation 21
   b. La délivrance de documents de voyage et d'identité 22
   c. Le certificat de nationalité française 23
   d. Les actes d'état civil 23
   e. Les actes notariés 26
   f. Le service national 26
   g. L'exercice du droit de vote 27
   h. Attributions diverses 28
3. La protection 29

1.B. La réglementation locale

1. L'immigration, le séjour et la résidence 31
2. L'emploi 31
3. Les douanes, la fiscalité, le contrôle des changes 32

1.C. La représentation des Français résidant à l'étranger

1. Le Conseil Supérieur des Français de l'Etranger (CSFE) 34
2. Les sénateurs représentant les Français établis hors de France .. 34

1.D. La vie associative 36

Pages

2. L'emploi à l'étranger

2.A. Les ministères

a. Le ministère des affaires étrangères 44
b. Le ministère de la coopération 44
c. Le ministère de l'économie, des finances et de la privatisation 45
d. Le ministère de l'industrie, des P et T et du tourisme 46
e. Les organisations internationales (intergouvernementales) 46

2.B. Les agences et organismes publics ou semi-publics 47

2.C. Les associations privées 51

2.D. Les associations de coopération volontaire (ONG) 52

3. La prévention médicale

3.A. L'examen médical 56

3.B. La situation sanitaire du lieu de travail et les moyens de prévention 58

3.C. Les structures d'accueil et les possibilités médicales existantes à l'étranger 59

4. La protection sociale

4.A. Les travailleurs salariés

1. La sécurité sociale 62
 • Les salariés détachés 62
 • Les salariés expatriés 63
 • Les instruments internationaux de sécurité sociale signés par la France 64
 • L'assurance volontaire maladie-maternité-invalidité et l'assurance volontaire accidents du travail et maladies professionnelles 67
 • L'assurance volontaire vieillesse-veuvage 69
2. Les retraites complémentaires 71
3. Les institutions de prévoyance 72

Pages

4.B. Les travailleurs non salariés

1. Les travailleurs non salariés détachés 73
2. Les travailleurs non salariés expatriés 73

4.C. Les pensionnés des régimes français de retraite   77

4.D. Les autres catégories 79

4.E. Les aides accordées aux personnes âgées, aux personnes handicapées, et aux rapatriés 81

4.F. La protection contre la perte d'emploi 83

5. La fiscalité

5.A. Il existe une convention fiscale

- Les pays avec lesquels la France a passé une convention fiscale 90
- Les pays avec lesquels la France a conclu un traité de réciprocité 90

5.B. Il n'existe pas de convention fiscale

1. Votre domicile fiscal est en France
   - La définition 92
   - Les cas d'exonération 92
   - Le lieu de déclaration 93
   - L'établissement de l'impôt 93
   - Le paiement 93
2. Votre domicile fiscal est à l'étranger
   - La définition 94
   - Les cas d'imposition en France 94
   - Le lieu de déclaration 95
   - L'établissement de l'impôt 95
   - Le paiement 95

6. La scolarisation

6.A. A l'étranger

1. L'enseignement primaire et secondaire 98
   - Les établissements français à l'étranger 98
   - Les cours par correspondance 99
   - Le coût de la scolarité 99
   - Le baccalauréat 100

Pages

2. L'enseignement supérieur 100
   • Le centre national d'enseignement à distance et le centre de
     télé-enseignement universitaire 100

6.B. En France

   • Les établissements scolaires publics avec internat 101
   • Les établissements scolaires privés avec internat 102
   • La couverture du risque maladie des enfants scolarisés en
     France 102

7. Le retour

7.A. Les formalités avant le départ de l'étranger

   • Le déménagement 106
   • Le contrôle des changes 107
   • La scolarisation 107

7.B. Les formalités à l'arrivée en France

   • Le changement d'adresse 108
   • La carte d'électeur 108
   • Le livret militaire 108
   • L'imposition 108
   • La scolarisation 109
   • L'enseignement universitaire 109
   • Les centres de renseignements téléphoniques 110

7.C. La réinsertion professionnelle 111

   • Adresses utiles 111

Index 113

• Le CENTRE D'ACCUEIL ET D'INFORMATION DES FRANÇAIS A L'ÉTRANGER
remercie les différentes administrations qui ont bien voulu collaborer à la
réalisation du présent livret.

introduction
Administration, protection, information des Français à l'étranger

Ministère des affaires étrangères

1. La Direction des Français à l'étranger et des Etrangers en France

Au nombre de ses missions multiples, le ministère des affaires étrangères compte celle de définir et de mettre en place une politique globale de protection et d'amélioration des conditions de vie des Français résidant hors du territoire national, et des Etrangers en France.

Au sein d'un département ministériel traditionnellement responsable de la relation diplomatique, la Direction des Français à l'étranger et des Etrangers en France a plus spécialement pour attributions de :

• préparer et exécuter la politique du gouvernement relative à l'administration des Français résidant ou de passage à l'étranger et à la protection de leurs personnes et de leurs biens ;

• négocier et appliquer les accords de réciprocité concernant les Français à l'étranger et les Etrangers en France, qu'il s'agisse de la condition des personnes ou des biens ;

• traiter de l'immigration et de la circulation des étrangers ou des réfugiés en liaison avec les ministères intéressés (Intérieur, Affaires sociales et emploi, etc.) ;

• assurer le secrétariat du Conseil supérieur des Français de l'étranger, organisme consultatif dont dépend notamment l'élection des douze sénateurs représentants des Français établis hors de France ;

• informer les Français candidats à l'expatriation sur les conditions de vie à l'étranger et renseigner les Français installés à l'étranger sur les droits et garanties qui demeurent les leurs, hors du territoire national ;

• améliorer les conditions offertes à nos compatriotes en matière de travail, d'emploi et de formation professionnelle, afin de faciliter leur installation à l'étranger et leur réinsertion en France ;

• informer et conseiller les femmes françaises résidant à l'étranger.

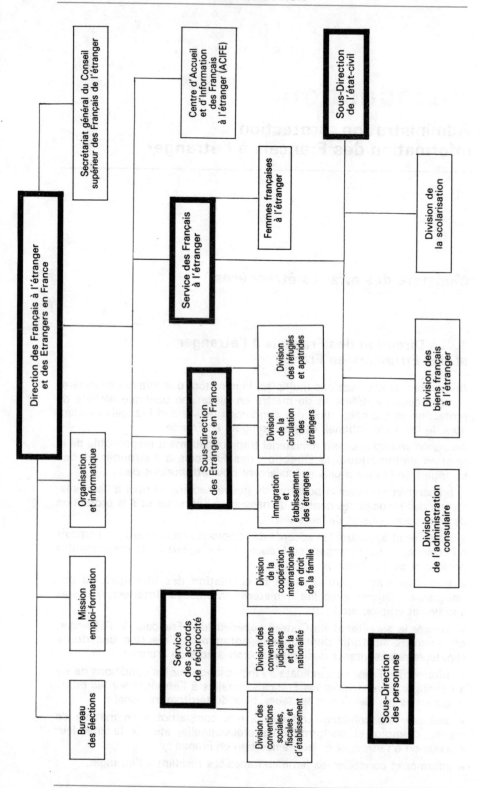

Un effort constant d'adaptation et d'efficacité dans l'action en faveur de nos compatriotes expatriés est le premier souci de la Direction des Français à l'étranger et des Etrangers en France qui, à ces fins, a la responsabilité :

— de l'administration consulaire,

— du service central de l'état civil, qui, à Nantes, délivre notamment des copies ou des extraits des actes concernant l'état civil des Français résidant à l'étranger (naissance, mariage, décès...),

— de la scolarisation des enfants français à l'étranger,

— de l'information.

L'information des Français à l'étranger

L'ACIFE (Accueil et Information des Français à l'étranger) informe les Français en instance de départ à l'étranger ou déjà installés hors du territoire national, sur les démarches à accomplir pour faire valoir leurs droits, les conditions de vie à l'étranger, le rôle des services consulaires, l'exercice du droit de vote à l'étranger, etc.

Renseignements et documentation (adresses utiles, mémentos, dépliants d'information) peuvent être donnés sur place ou adressés par correspondance.

L'ACIFE réalise également des « dossiers-informations » très complets sur 108 pays (présentation du pays, environnement pour un Français, santé, protection sociale, scolarisation, coût de la vie, fiscalité, formalités administratives, principales clauses d'un contrat de travail, droit de vote et représentation des Français de l'étranger) ; les pays concernés sont : Afrique du Sud, Algérie, Allemagne (République fédérale d'), Angola, Arabie Saoudite, Argentine, Australie, Autriche, Bahrein, Bangladesh, Belgique, Bénin, Birmanie, Bolivie, Brésil, Bourkina, Burundi, Cameroun, Canada, Centrafrique, Chili, Chine, Colombie, Comores, Congo, Corée du Sud, Costa Rica, Côte-d'Ivoire, Danemark, Djibouti, Egypte, Emirats Arabes Unis, Equateur, Espagne, Etats-Unis, Ethiopie, Finlande, Gabon, Ghana, Grande-Bretagne, Grèce, Guatemala, Guinée, Guinée-Bissau, Haïti, Honduras, Hong-Kong, Hongrie, Inde, Indonésie, Irak, Irlande, Israël, Italie, Jamaïque, Japon, Jordanie, Kenya, Koweït, Libéria, Libye, Luxembourg, Madagascar, Malaisie, Malawi, Mali, Maroc, Maurice (Ile), Mauritanie, Mexique, Mozambique, Nicaragua, Niger, Nigéria, Norvège, Nouvelle-Zélande, Oman, Pakistan, Panama, Paraguay, Pays-Bas, Pérou, Philippines, Pologne, Portugal, Qatar, Québec, Roumanie, Sénégal, Singapour, Soudan, Sri Lanka, Suède, Suisse, Syrie, Tchad, Thaïlande, Togo, Trinité et Tobago, Tunisie, Turquie, Union des Républiques Socialistes Soviétiques, Uruguay, Vanuatu, Vénézuela, Yémen (République arabe du), Yougoslavie, Zaïre.

L'ACIFE publie aussi « le livret du Français à l'étranger » dont il assure, tout comme pour les « dossiers-informations », la vente en France, sur place ou par correspondance.

Pour de plus amples renseignements sur la documentation qui peut être fournie, écrire ou téléphoner au :
Centre d'Accueil et d'Information des Français à l'étranger (ACIFE)
30, rue La Pérouse, 75116 Paris
Tél. : (1) 45.02.14.23, poste 40 70.
Ouvert du lundi au vendredi, de 9 h 30 à 12 h et de 14 h à 17 h 30.
Minitel : 36.15, code : A1, mot-clé : ACIFE.

N.B. : Le « livret du Français à l'étranger » est une brochure d'orientation. Il ne prétend pas traiter de manière exhaustive toutes les questions d'ordre administratif et social qui intéressent nos compatriotes souhaitant s'expatrier ou déjà établis hors de France.

---

2. Quelques centres de documentation spécialisés

Des informations ou une documentation spécialisée (brochures de caractère économique ou juridique, notices, études de synthèse, fiches pratiques) peuvent être obtenues en écrivant à des centres ou organismes tels que :

• **le Centre d'information et de formation des agents en coopération et à l'étranger (CIFACE)**
6, rue de Marignan, 75008 Paris
Tél. : (1) 42.56.45.71.

• **le Centre français du Commerce extérieur (CFCE)**
10, avenue d'Iéna, 75116 Paris
Tél. : (1) 45.05.30.00.

• **le Centre d'information et de documentation jeunesse (CIDJ)**
101, quai Branly, 75740 Paris Cedex 15
Tél. : (1) 45.66.40.20.
(24 centres d'informations jeunesse régionaux existent également en France).

• **la Documentation française**
29-31, quai Voltaire, 75007 Paris
Tél. : (1) 42.61.50.10.
Commandes par correspondance :
124, rue Henri-Barbusse, 93308 Aubervilliers Cedex.

• **le Centre de documentation du ministère de la coopération**
1 bis, avenue de Villars, 75007 Paris
Tél. : (1) 45.55.95.44.

3. Publications administratives utiles

— Nos compatriotes auront également intérêt à prendre connaissance de certains ouvrages de caractère administratif qui les aideront dans leurs démarches.

Dans la collection « Vous et l'Administration »

● *Le « Guide de vos droits et démarches »*
(23 éditions régionales)

Information de base très complète sur l'ensemble des droits et démarches administratives des Français. Parents, locataires, contribuables, consommateurs, électeurs, etc., trouvent réponses à leurs questions.

Le guide indique pour chacune des régions administratives de la métropole et pour les départements d'outre-mer, aux niveaux régional et départemental, les adresses, numéros de téléphone, heures d'ouverture des services mentionnés dans ses 278 rubriques.

● *« Comment réussir votre retraite »*

Ce guide rassemble des idées à exploiter, des exemples à suivre, des expériences à tenter, des adresses utiles pour réussir sa retraite en ayant de multiples activités.

● *Le « Guide des jeunes »*

Ce guide informe les jeunes en difficulté de 16 à 25 ans sur leurs droits et les possibilités qui s'offrent à eux pour aborder les problèmes d'une vie indépendante.

Des renseignements pratiques, de nombreuses adresses, des modèles de lettres facilitent leur insertion sociale et professionnelle.

Ces trois guides édités par Albin Michel sont vendus en librairie en France et dans les librairies françaises à l'étranger.

● *Le « Guide des services d'accueil et de renseignements »*

Regroupe, par thème, tous les services qui peuvent renseigner sur l'administration et informer sur les droits des usagers.

Un petit livre très utile pour tous ceux qui s'intéressent de près à la chose publique et aux aspects concrets de la vie quotidienne.

● *Le « Guide des guides »*

Recense plus de 1 000 guides, brochures et documents d'information pratique réalisés par les services publics.

Il précise pour chacun d'eux, l'auteur, le contenu, le format, le coût, les modalités de diffusion. Un outil indispensable pour constituer une documentation personnelle ou professionnelle.

> Ces deux ouvrages sont vendus par la Documentation française en librairie, 29-31, quai Voltaire, 75007 Paris, ou par correspondance, 124, rue Henri-Barbusse, 93308 Aubervilliers Cedex.

● *Le « Guide financier des Français de l'étranger »*

La fiscalité (Faut-il faire une déclaration ? Laquelle ? Auprès de qui ? Quand ? Quels sont les impôts et taxes dus ?)

Les relations financières avec l'étranger (comptes spéciaux, statut de non résident, etc.)

La réglementation douanière (formalités de départ et de retour en France).

> Ce guide est vendu en librairie et à la Documentation française, ou par correspondance, 124, rue Henri-Barbusse, 93308 Aubervilliers Cedex.

1

L'ÉTABLISSEMENT DANS LE PAYS DE RÉSIDENCE

1.A. le consulat

Ne confondez pas ambassade et consulat.

1. L'ambassade

L'ambassadeur est le représentant personnel du Président de la République, accrédité auprès du chef de l'Etat étranger. Chargé des relations bilatérales d'Etat à Etat, il constitue en outre l'autorité suprême pour tous les services français exerçant leur activité dans l'Etat étranger.

Le consulat

Le consul est le chef de la communauté française dont il assure la protection vis-à-vis des autorités étrangères et qu'il administre selon la législation et la réglementation françaises. Il peut être assisté dans sa mission par des consuls honoraires et des agents consulaires.

N.B. : Dans les pays où il n'existe pas de consulat, l'ambassade possède une section consulaire qui assure l'intégralité des tâches consulaires.

2. L'administration consulaire

Protégés par le consul vis-à-vis de l'autorité étrangère, les Français résidant dans sa circonscription sont aussi ses administrés.

A ce titre, le consul est officier d'état civil, chargé des fonctions notariales, des questions militaires, du paiement des pensions, etc. Tel le maire d'une commune de France, il souhaite bien connaître la communauté qu'il protège et administre ; il dispose à cet effet d'un moyen de recensement : l'immatriculation.

a. L'immatriculation

Vous avez le plus grand intérêt à vous faire immatriculer au consulat.

Si vous êtes immatriculé, en cas d'accident, d'événement pouvant menacer votre sécurité ou de difficultés avec les autorités locales, le consul vous connaît, sait que vous êtes en situation régulière et peut intervenir immédiatement.

Si vous n'êtes pas immatriculé, vous bénéficierez de la même protection mais le consul risque de perdre beaucoup de temps à vous joindre et éventuellement à prouver votre qualité de Français et la régularité de votre situation.

En outre, pour les formalités à accomplir dans le cadre de la législation française, l'immatriculation facilite les procédures administratives.

N.B. : Vous ne pourrez vous faire immatriculer que si vous êtes résident du pays où vous séjournez et si vous prouvez que vous êtes autorisé à vous y installer.

Pour vous faire immatriculer, **vous devez prouver :**

— votre identité (carte nationale d'identité ou passeport français) ;

— votre nationalité française (carte nationale d'identité, décret de naturalisation, de réintégration, ou certificat de nationalité — voir ci-dessous page 23) ;

— votre état civil (livret de famille) ;

— votre résidence régulière dans la circonscription (carte de résident étranger ; permis de séjour délivré par les autorités locales ; dans certains pays qui ne délivrent pas les deux documents précédents, contrat de travail prouvant que vous séjournerez régulièrement dans la circonscription consulaire ; éventuellement, document attestant que vous possédez aussi la nationalité du pays d'accueil) ;

— votre situation vis-à-vis du service national (livret militaire ou carte de service national) si vous êtes soumis aux obligations militaires.

Après constitution de votre dossier, **une carte d'immatriculation consulaire** vous sera remise gratuitement. La validité de ce document est de **3 ans.** Elle peut être renouvelée.

La carte d'immatriculation consulaire **vous permettra de :**

● prouver aux autorités locales que vous êtes placé sous la protection du consul de France (rappelez-vous toutefois que, pour ces autorités, cette carte ne peut remplacer le passeport ou la carte nationale d'identité : elle n'est ni un titre de voyage, ni un document d'identité ; elle ne vous dispensera donc pas de l'obligation éventuelle de détenir une carte de résident étranger) ;

● prouver aux autorités consulaires françaises que vous êtes un Français résidant régulièrement à l'étranger ;

● faciliter le contrôle douanier à votre entrée en France puisque vous ne résidez pas sur le territoire national français : à la sortie, elle vous sera réclamée quand vous ferez viser les documents de détaxe à l'exportation ;

● bénéficier de tarifs préférentiels, pour l'établissement de documents officiels, au consulat.

N.B. : La carte d'immatriculation consulaire est essentiellement destinée à être présentée à l'étranger. Elle ne peut donc pas, de ce fait, servir de pièce d'identité pour toute démarche en France : bureau des PTT, banques, magasins...

Si vous avez la **double nationalité,** et donc possédez aussi celle du pays d'accueil, vous ne pourrez invoquer la protection du consul devant les autorités locales que si ces dernières y consentent (principe de la priorité d'allégeance au pays de résidence).

L'immatriculation est facultative

Si l'immatriculation n'est pas une formalité obligatoire, elle permet toutefois au consul une meilleure gestion de ses administrés.

mais indispensable

— pour obtenir, en faveur de vos enfants, **des bourses d'études** dans les établissements français locaux ;

— pour vous inscrire sur la **liste électorale** d'une commune de France et pour donner procuration de vote valable pour plus d'un an ;

— pour obtenir la délivrance d'une **carte nationale d'identité.**

b. La délivrance de documents de voyage et d'identité

● Carte nationale d'identité

Le consulat peut vous l'établir. Il vous indiquera les conditions de délivrance et de renouvellement ; ce sont les mêmes qu'en France.

● En vue de faciliter vos relations avec les administrations et organismes publics, vous avez tout intérêt à posséder ce document.

● Passeport

Vous pouvez également obtenir dans les mêmes conditions qu'en France la délivrance, la prorogation ou le renouvellement d'un passeport.

Si vous êtes de passage, le poste consulaire devra au préalable consulter l'administration qui vous a délivré ce titre de voyage.

● Perte ou vol de documents

En cas de perte ou de vol de votre **carte nationale d'identité** ou de votre **passeport,** vous devez faire une déclaration de perte ou de vol auprès des autorités de police locales, puis auprès du consulat français de votre résidence avant de pouvoir obtenir la délivrance de nouveaux documents.

N.B. : En cas d'urgence, et si vous êtes de passage, le consulat peut vous délivrer un **laissez-passer,** valable pour le seul retour au lieu de votre domicile en France ou à l'étranger, par la voie la plus directe seulement.

En cas de perte ou de vol de votre **permis de conduire français,** la déclaration de perte ou de vol sera faite au consulat. L'exemplaire qui vous sera remis de cette déclaration vous tiendra lieu de permis de conduire pendant un délai de 2 mois et vous servira pour obtenir un duplicata du document égaré ou volé auprès de l'organisme public en France ayant établi l'original.

Dans tous les cas, votre immatriculation au consulat facilitera et accélérera les formalités administratives.

c. Le certificat de nationalité française

Le certificat de nationalité française, délivré par le juge d'instance, est le seul document qui fait foi jusqu'à preuve contraire.

Pour l'obtenir, adressez-vous :

— au juge du premier arrondissement de Paris : annexe du Palais de Justice, 4 à 14, rue Ferrus, 75014 Paris,

— ou au juge de votre dernier domicile ou de votre dernière résidence en France,

— ou à défaut, au juge du lieu d'origine de vos parents.

Toutefois,

— les juges des tribunaux d'instance de Bordeaux et de Marseille sont compé- tents pour les personnes domiciliées respectivement au Maroc ou en Tunisie,

— le juge de Saint-Denis de la Réunion pour celles qui sont domiciliées à Madagascar,

— et les juges des tribunaux d'instance d'Aix-en-Provence, de Montpellier et de Nîmes pour celles qui sont domiciliées respectivement dans l'un des anciens ressorts des cours d'appel d'Alger, d'Oran et de Constantine.

Formalités

Vous pouvez accomplir les formalités par correspondance, en envoyant dans une enveloppe timbrée portant vos nom et adresse les documents nécessaires. Dans le cas le plus simple d'une personne née en France de parents eux-mêmes nés en France, il suffira d'une copie intégrale de l'acte de naissance. Dans tous les autres cas, vous aurez intérêt à demander au consulat de vous indiquer les documents dont, en fonction de votre situation particulière, le juge d'instance aura besoin pour apprécier celle-ci.

Coût : gratuit.

Obtention : les délais de délivrance sont inévitablement longs en raison de la surcharge de travail imposée aux tribunaux d'instance.

d. Les actes d'état civil

Le consul, en quelque sorte maire de ses administrés, est investi des fonctions d'officier d'état civil.

Comme toute commune de France, le consulat tient **des registres de l'état civil.** Il dressera directement, si le pays d'accueil ne le lui interdit pas, les actes vous concernant, vous et votre famille. Il vous délivrera toutes copies, extraits, fiches, certificats dont vous pourrez avoir besoin. Si l'acte a été établi par l'autorité locale qualifiée, il pourra en **transcrire** sur votre demande le contenu et vous délivrera également copies et extraits de cette transcription.

Les registres de l'état civil consulaire sont tenus, comme ceux des mairies, en double exemplaire. Ouverts le 1er janvier, ils sont clos et arrêtés par l'officier de l'état civil à la fin de chaque année. Le premier exemplaire est conservé par le poste consulaire ; le second est adressé, au cours du mois de janvier de l'année suivante au :

Service central de l'état civil
Ministère des affaires étrangères
5 et 6, boulevard Louis Barthou, B.P. 1056, 44035 Nantes Cedex
Tél. : 40.67.63.21.

N.B. : Ce service vous délivrera gratuitement des **copies** et **extraits** des actes de l'état civil consulaire français établis hors de votre pays de résidence. A votre retour en France, ce service sera également votre interlocuteur pour **toute question relative aux événements d'état civil vous concernant, survenus à l'étranger.** Joindre une enveloppe timbrée à vos nom et adresse ou un coupon réponse international si vous habitez à l'étranger. Afin de faciliter les recherches et par là même accélérer la délivrance de l'acte, joindre la photocopie d'un extrait ou d'une copie, même périmés ; sinon, indiquer la référence de l'acte demandé. Le Service central de l'état civil détient et exploite également les actes de l'état civil colonial et ceux des naturalisés.

• Les actes déclaratifs : naissance, reconnaissance, décès

— *Naissance, décès*

La réglementation locale peut vous faire obligation de procéder aux déclarations administratives devant les autorités locales de l'état civil. Le consulat vous fournira toutes précisions utiles sur ce point.

Quoi qu'il en soit, vous avez tout intérêt à déclarer aussi une naissance ou un décès auprès du consulat. Si vous ne procédez pas à cette formalité, vous pouvez demander la transcription de ces actes déclaratifs étrangers sur les registres de l'état civil consulaire. Dans l'un ou l'autre cas, le consul en fera mention sur le livret de famille français.

N'oubliez pas qu'un enfant, né à l'étranger, de père français ou de mère française, possède la nationalité française.

— *Reconnaissance*

Si vous désirez reconnaître un enfant que vous avez eu hors mariage, vous avez intérêt à en parler à votre consul qui vous indiquera si la reconnaissance peut être souscrite devant lui sous la forme d'acte d'état civil ou d'acte notarié.

Si la reconnaissance est faite devant l'autorité étrangère, vous avez tout intérêt à faire transcrire cet acte sur les registres du consulat. Il faut savoir que le droit français attribue, dans la plupart des cas, à l'enfant le nom du premier parent qui l'a reconnu.

• Les actes constitutifs d'état : le mariage

— *Mariage entre deux ressortissants français.*

Un certain nombre de pays étrangers accepte qu'un tel mariage soit célébré par le consul.

Dans le cas contraire, si le pays où vous désirez vous marier ne reconnaît pas la validité du mariage consulaire, il vous appartiendra de faire célébrer votre union par les autorités locales de l'état civil et de demander ultérieurement au consulat la **transcription** de votre acte de mariage étranger sur les registres de l'état civil consulaire.

Le mariage célébré à l'étranger, selon la loi locale, est valable au regard de la législation française, dès lors qu'il ne contrevient pas aux dispositions du Code civil français.

— *Mariage entre un ressortissant français et un(e) étranger(e).*

— *Le ressortissant français qui épouse un étranger (ou une étrangère)* peut envisager de se marier soit à l'étranger (dans la plupart des pays, devant les autorités locales seulement), soit en France.

La loi française ne soumet pas le mariage d'un(e) Français(e) avec un(e) étranger(e) à une autorisation préalable. Ce mariage est donc libre, sous réserve cependant de remplir les conditions requises par la loi française.

Toutefois, dans la mesure où les conditions d'aptitude au mariage des futurs époux relèvent de leur loi nationale, le Français aurait le plus grand intérêt à s'adresser soit à notre représentant consulaire dans le pays de résidence du futur conjoint, soit à la représentation consulaire correspondante en France.

Tout mariage célébré à l'étranger entre un(e) Français(e) et un(e) étranger(e) est valable en France s'il est célébré dans les formes locales. Une fois que le mariage a été célébré par l'officier d'état civil local, sa transcription peut être effectuée sur les registres du consulat français dans la circonscription duquel la célébration a eu lieu. Un livret de famille français sera alors délivré aux époux. La demande est à adresser soit directement au consul de France compétent, soit éventuellement au Service central de l'état civil, B.P. 1056, 44035 Nantes Cedex, en fournissant la preuve de la nationalité française de l'un des époux et une copie de l'acte de mariage éventuellement légalisée par l'autorité compétente.

N.B. : Le mariage n'exerce de plein droit aucun effet sur la nationalité. Toutefois le conjoint étranger d'un(e) Français(e) peut devenir Français en en faisant la demande après transcription de l'acte de mariage sur les registres du Consulat.

• La transcription

La transcription consiste à reporter dans les registres consulaires français les indications contenues dans un acte établi à l'étranger par une autorité étrangère.

Aucun délai n'est fixé pour la transcription d'un acte.

Vous avez tout intérêt à **demander la transcription**, dans les registres consulaires français, des actes établis devant les autorités locales.

Pour obtenir :

— des copies ou des extraits des actes concernant votre état civil et transcrits dans les registres consulaires français (naissance, mariage, décès...),
— la mise à jour de votre état civil par mentions marginales,
— le livret de famille français.

Adressez-vous :

— *si vous résidez à l'étranger,* **au consulat de France** de votre circonscription,
— *si vous êtes revenu en France,* **au Service central de l'état civil de Nantes,** dépositaire du double des registres établis par nos consulats à l'étranger (fournissez parallèlement les informations nécessaires à cet effet — voir ci-dessus page 24).

Cas particulier du divorce

Lorsque le **divorce** a été prononcé à l'étranger et qu'il est définitif, il produit en principe ses effets en France et permet donc, le cas échéant, un nouveau mariage.

Toutefois, pour que le jugement de divorce étranger soit mentionné en marge des actes d'état civil, il vous appartient d'en adresser la demande au **Procureur de la République :**

— soit du **Tribunal de Grande Instance de Nantes**, Service de l'état civil des Français à l'étranger, place Aristide Briand, BP 1012, 44035 Nantes cedex, si votre mariage a été célébré à l'**étranger**,

— soit du **Tribunal du lieu de votre mariage** si celui-ci a été célébré **en France**. Cette demande doit être accompagnée d'un exemplaire de l'acte de naissance des époux, de leur acte de mariage et du jugement de divorce définitif, et le cas échéant du jugement provisoire, accompagné de sa traduction et de la justification de son caractère exécutoire.

● Enfin, si vous avez besoin de rendre exécutoire (exéquatur) en France le **jugement** (notamment pour la garde des enfants, le partage des biens communs ou le versement d'une pension alimentaire...), vous adresserez une demande au **président du Tribunal français** compétent en raison du lieu du mariage (voir ci-déssus) si votre ex-conjoint réside à l'étranger, ou celui de sa résidence s'il habite en France.

e. Les actes notariés

Le consul de votre résidence peut avoir compétence pour établir un certain nombre d'actes notariés.

Sous réserve des conventions internationales, notamment bilatérales, et de la loi du pays de résidence, il vous est par exemple possible de faire au consulat :

— le dépôt de votre testament ;
— établir votre contrat de mariage, sous certaines conditions ;
— une donation entre époux ;
— établir, dans certains cas, un acte de notoriété en vue du règlement d'une succession ;
— établir une procuration devant produire ses effets en France.

Toutefois, dans ce domaine de compétences, les consuls n'ont pas un devoir de conseil à l'égard de nos compatriotes sur l'opportunité de passer un acte. Ils ne peuvent, uniquement, que les renseigner sur les dispositions du droit français.

f. Le service national

Comme en France, vous devez le service national de 18 à 50 ans. Le consul procède au **recensement** des jeunes gens nés ou établis dans sa circonscription. Les obligations de recensement ont lieu pendant le premier mois du trimestre suivant celui au cours duquel le jeune homme a atteint ses 17 ans. Cette disposition n'est pas applicable aux jeunes gens ayant la faculté de répudier ou de décliner la nationalité française. Ceux-ci continueront à n'être recensés qu'à partir du moment où ils sont devenus français à titre définitif.

Vous pourrez bénéficier, si vous remplissez les conditions exigées et si vous en faites la demande, des dispositions du Code du service national, telles que devancement d'appel, report d'incorporation, dispenses diverses, etc.

Vous ne pourrez pas souscrire auprès du consulat un engagement dans l'armée française, mais le consul vous renseignera et vous aidera à constituer le dossier qui sera transmis à l'autorité militaire.

Les frais de transport des jeunes gens appelés au service national actif sont pris en charge par le budget de l'Etat à condition que leur résidence à l'étranger soit effective et habituelle (Français résidant dans les pays limitrophes).

Formalités

En arrivant à l'étranger ou si vous y changez de résidence, **vous devez** vous présenter au consulat avec vos documents militaires, pour effectuer une déclaration de changement de résidence destinée à l'autorité militaire.

g. L'exercice du droit de vote

Règle générale

Tout électeur français se trouvant hors de France au moment d'une consultation électorale (élection municipale, cantonale, régionale, législative, présidentielle, européenne ou référendum) et quelle que soit la durée du séjour, c'est-à-dire qu'il soit Français de passage ou Français résidant à l'étranger, peut exercer son droit de vote **par procuration**, à condition qu'il soit inscrit sur une liste électorale en France. Il faut et il suffit que la personne qu'il charge de voter à sa place (son mandataire) soit inscrit **dans la même commune que lui.**

Les procurations, dressées au **consulat de France le plus proche du lieu de séjour** sur présentation d'une pièce d'identité, peuvent être valables pour **un seul scrutin** ou pour **1 an.**

N.B. : Les procurations établies pour une durée supérieure (qui peut aller jusqu'à **3 ans**) sont réservées aux Français résidant à l'étranger et régulièrement immatriculés dans les consulats.

Modalités spéciales pour les Français résidant à l'étranger

Les Français résidant à l'étranger ont en outre la possibilité de **voter sur place** dans leurs ambassades et dans leurs consulats mais seulement à l'occasion :
- des élections présidentielles,
- des référendums,
- de l'élection des représentants à l'Assemblée des communautés européennes.

Ils ne peuvent plus alors, mais seulement pour chacun de ces 3 scrutins, voter par procuration dans la commune de France où ils sont inscrits sur la liste électorale.

Procédure

Pour voter sur place, il suffit donc de demander votre inscription sur la liste du **centre de vote du consulat dont vous dépendez** (l'immatriculation préalable n'est pas obligatoire et il n'est pas nécessaire d'être déjà inscrit sur une liste électorale en France).

Ce mode de scrutin à l'étranger est autorisé dans presque tous les pays. Renseignez-vous auprès de l'ambassade ou du consulat de votre lieu de résidence.

Renseignez-vous également sur les modalités d'inscription sur la liste électorale à l'ambassade ou au consulat pour les **élections au Conseil supérieur des Français de l'étranger**.

h. Attributions diverses

• Bourses

Si vos enfants poursuivent des études en France ou à l'étranger, vous pourrez trouver au consulat les renseignements concernant les études et les bourses scolaires.

N.B. : Des bourses peuvent être attribuées aux étudiants se rendant en France pour y poursuivre des études supérieures.

• Aide sociale

Les consulats disposent d'un agent ou d'une assistante sociale qui peut vous conseiller et vous guider : situation personnelle, maisons de retraite locales ou en France, placements hospitaliers, aide aux personnes âgées ou handicapées, etc.

• Rapatriement

Le rapatriement aux frais de l'Etat n'est pas un droit. Toutefois, les personnes résidant à l'étranger qui ne possèdent pas de ressources suffisantes peuvent, sous certaines conditions, demander au consulat leur rapatriement aux frais de l'Etat. Cette demande est transmise, pour décision, au ministère des affaires étrangères.

En outre, les Français qui étaient domiciliés dans les Etats placés avant leur indépendance, sous la souveraineté, le protectorat ou la tutelle de la France et qui ont été contraints, par suite d'événements politiques, à rentrer en France, peuvent être rapatriés aux frais de l'Etat et bénéficier d'aides diverses au titre de la loi du 26 décembre 1961. Les demandes doivent être adressées au consulat.

• Paiement des pensions et retraites

C'est auprès de l'ambassade ou du consulat que vous pourrez toucher votre **pension militaire** ou civile d'ancienneté ou d'invalidité, la **retraite du combattant**, les traitements de la **Légion d'honneur à titre militaire** et de la **médaille militaire**.

Au contraire, les autres pensions et retraites (Sécurité sociale, retraite des cadres, etc.) sont payées par transfert bancaire ou mandat international.

• Recouvrement des pensions alimentaires à l'étranger

Le recouvrement des pensions alimentaires à l'étranger a été facilité par la convention internationale de New York du 20 juin 1956 (*J.O.* du 12 octobre 1960).

Vous pouvez bénéficier des clauses de cette convention :

– si vous êtes domicilié(e) dans l'un des pays suivants : Algérie, Allemagne (République fédérale d'), Australie, Autriche, Argentine, Barbade, Belgique, Brésil, Bourkina, Centrafrique, Ceylan, Chili, Danemark, Equateur, Espagne, Finlande, France, Grande-Bretagne, Grèce, Guatemala, Haïti, Hongrie, Israël, Italie, Luxembourg, Maroc, Monaco, Niger, Norvège, Nouvelle-Zélande, Pakistan, Pays-Bas, Philippines, Pologne, Portugal, Suisse, Saint-Siège, Suède, Surinam, Tchécoslovaquie, Tunisie, Turquie, Yougoslavie ;

– si la personne qui doit vous verser la pension alimentaire est domiciliée en France,

– si la personne qui doit vous verser la pension alimentaire réside également dans l'un de ces pays.

Dans tous les cas, renseignez-vous :

– au consulat de France
– ou au Ministère des affaires étrangères
Direction des Français à l'étranger et des Etrangers en France
Division de la coopération internationale en droit de la famille
23, rue La Pérouse, 75116 Paris
Tél. : (1) 45.02.14.23, poste 51 16.

Si vous désirez bénéficier de l'aide judiciaire, vous devez fournir une déclaration de ressources ou un avis de non-imposition.

3. La protection

Résidant dans un pays étranger, vous serez soumis à la législation de votre pays d'accueil, dont l'application s'étend à toutes les personnes physiques ou morales installées ou circulant sur son territoire. Le rôle du consul est de vous protéger contre les éventuels abus, exactions et discriminations dont vous pourriez faire l'objet. Le consulat interviendra en votre faveur auprès des autorités du pays en cas d'incarcération, d'accident grave ou de maladie. Il est également en mesure de vous prêter assistance en cas de difficultés telles que vol, perte de documents, etc.

● **Arrestation et incarcération**

Pout tout motif, vous avez le droit, que vous soyez de passage ou résident, de demander à communiquer avec le consulat ou l'ambassade ; ils interviendront auprès des autorités locales, pour attester que vous êtes sous la protection consulaire et s'enquérir, dans un premier temps, du motif de votre arrestation.

Le consul sollicitera les autorisations nécessaires pour vous rendre visite, lui-même ou ses collaborateurs ainsi que les membres de votre famille. Il s'assurera ainsi de vos conditions de détention et du respect des lois locales.

Pour vous assister judiciairement, le consulat vous proposera le choix d'un avocat qui vous défendra ; **vous devrez rémunérer les services de cet avocat.** Le consul se fera représenter à l'audience et tentera, dans la mesure du possible, de hâter la procédure.

● **Accident grave**

Le consulat est en principe prévenu par les autorités locales de tout accident grave survenu à un Français.

Dès qu'il dispose des renseignements suffisants sur votre identité et votre parenté (par l'**immatriculation**, si vous résidez dans sa circonscription), le consulat prévient votre famille et le ministère des affaires étrangères qui envisage avec elle les mesures à prendre : hospitalisation ou rapatriement dont les frais demeurent à votre charge.

N.B. : Vous avez toujours intérêt à souscrire, préalablement à votre départ, un contrat d'assistance avec une compagnie prenant en charge le rapatriement sanitaire.

Dans la mesure du possible, le consulat se procurera les rapports de police et, si nécessaire, les rapports médicaux.

● **Maladie**

Le consulat ou l'ambassade peut vous mettre en relation avec le médecin agréé par ses services et tient à votre disposition une liste de médecins spécialisés.

● **En cas de décès,** le consulat prend contact avec la famille du défunt pour procéder, si celle-ci le désire, aux formalités légales de rapatriement du corps. **Les frais en sont assumés par la famille.**

En résumé, le consul et ses collaborateurs vous assisteront pour les actes que vous aurez à accomplir dans le cadre de la réglementation française et pour les démarches concernant votre séjour sur place.

Ils peuvent vous délivrer également :
– une attestation d'immatriculation consulaire ;
– une attestation de résidence ;
– une attestation d'identité ;
– un certificat de coutume ;
– un certificat d'hérédité ;
– une carte d'identité de voyageur de commerce ;
– des fiches d'état civil et de nationalité ;
et procéderont aux légalisations de signatures.

Ils vous donneront les renseignements utiles pour obtenir les extraits de casier judiciaire, l'inscription sur les listes électorales...

Ils vous guideront dans les démarches que vous aurez à effectuer auprès de l'administration locale.

N'hésitez pas à demander conseil ; les fonctionnaires du consulat connaissent bien les rouages de cette administration locale et sont en contact fréquent avec les autorités du pays d'accueil (police, immigration, justice, main-d'œuvre, etc.).

Le rôle primordial du consul est la défense des personnes et des biens français dans le respect de la légalité et de l'ordre public local.

1.B. la réglementation locale

Ayant quitté le territoire français, vous êtes un étranger au regard des autorités du pays où vous résidez. Il convient donc que vous soyez parfaitement en règle avec la réglementation locale sur :

1. L'immigration, le séjour et la résidence

Que vous ayez obtenu avant de quitter la France le visa d'entrée adéquat (délivré par l'ambassade ou le consulat de votre futur pays de résidence) ou non, vérifiez le plus tôt possible et en tout cas dans les 3 mois qui suivent votre arrivée, quelles sont les formalités que vous devez accomplir auprès des autorités locales (police ou autorités correspondant à nos autorités préfectorales). Dans certains pays, ces autorités apposeront un nouveau visa de séjour — de durée plus ou moins longue —, sur votre titre de voyage ; vous devrez vous-même, dans la plupart des cas, faire établir une carte de résident étranger.

En général, au-delà de 6 mois consécutifs de séjour dans le même pays, vous devenez un résident. Ce changement de statut entraîne des conséquences importantes notamment dans le domaine financier (contrôle des changes, douane, fiscalité). Renseignez-vous au consulat.

2. L'emploi

● Vous avez un emploi assuré avant votre arrivée dans le pays

Vérifiez si vous êtes tenu ou non, en qualité d'étranger, de faire enregistrer votre contrat de travail auprès des autorités locales compétentes (service du travail et de la main-d'œuvre). Si cet enregistrement est nécessaire, n'entreprenez votre voyage qu'après avoir obtenu l'agrément de ces autorités.

● Vous arrivez sans emploi

Renseignez-vous sur place pour savoir si un permis de travail doit être obtenu préalablement à la signature de tout contrat d'embauche. Orientez vos recherches d'emploi vers des secteurs d'activités correspondant à vos qualifications professionnelles afin d'éviter d'être victime de procédés plus ou moins licites.

Vous pouvez également vous adresser au consulat de France et, le cas échéant, au **comité consulaire pour l'emploi et la formation professionnelle** (voir page 44).

Sachez que de nombreux pays refusent toute transformation de visa touristique en visa de travail.

N.B. : Soyez prudent. Rappelez-vous que vous êtes à présent un travailleur immigré et que toute irrégularité de situation peut vous être préjudiciable.

Ne négligez pas les possibilités de garantie sociale dont vous pouvez disposer, soit auprès des systèmes français, soit dans le cadre de la protection sociale organisée par les autorités du pays où vous résidez. Pesez soigneusement les avantages des différents systèmes et, au besoin, n'hésitez pas à vous renseigner auprès des **compagnies d'assistance en France.**

3. Les douanes, la fiscalité, le contrôle des changes

Les douanes

Il est peu probable que vous puissiez bénéficier d'une importation en « franchise douanière » de votre mobilier et de vos effets personnels.

Toutefois, certains contrats de travail (coopération ou contrats offerts par certains pays) pourront prévoir un tel privilège. Assurez-vous de cette franchise **avant** votre départ.

Renseignez-vous auprès de la représentation en France du pays de votre futur établissement, sur les délais à prévoir pour cette importation (3 mois ou 6 mois après la première installation).

N.B. : **Règle impérative :** régularisez vos importations. Faute de quoi, vous risquez d'avoir des problèmes sérieux au moment où vous quitterez le pays définitivement.

La fiscalité

Soyez parfaitement informé de votre **statut fiscal** (résident ou non résident) dans votre pays d'accueil afin de définir clairement votre assujettissement à la fiscalité locale ou française (voir chap. 5). Vous éviterez des surprises désagréables au moment de votre départ définitif du pays d'accueil ou à votre retour en France.

En effet, dans la plupart des pays, les autorités locales n'autoriseront l'exportation de vos effets personnels que si vous êtes muni du quitus fiscal (le **quitus fiscal** est un document nécessaire pour passer la douane avec votre mobilier). Vous pourrez l'obtenir au **Centre des impôts** dont dépend votre résidence.

Dans les cas extrêmes (litiges entre l'administration locale et vous même), la sortie du territoire pourra même vous être refusée.

Le contrôle des changes

Ce contrôle existe dans la plupart des pays.

La législation locale sur le contrôle des changes est quelquefois très stricte.

Par exemple : vous ne pouvez entrer sur tel territoire ou le quitter qu'après avoir rempli une déclaration de détention de devises, d'or et de métaux précieux qui engage votre responsabilité.

Evitez, dans ces cas, de voyager avec trop de devises.

Vérifiez également, pour certains pays, que vous ne détenez pas d'importantes sommes en monnaie locale non convertible sur le marché international des changes. L'importation ou l'exportation de cette monnaie vous expose à des poursuites judiciaires.

— Vous devrez probablement ouvrir un *compte de dépôt à vue* auprès d'une banque locale. Si vous avez le statut de non résident, vous pourrez en général l'ouvrir en devises (ou en monnaie locale *convertible*).

— Pour tout *transfert d'argent* entre votre pays d'accueil et la France, vous aurez intérêt à prendre contact avec le correspondant local d'une grande banque française (ouverture d'un compte étranger en France, etc.).

N.B. : Evitez de vous placer en situation irrégulière en acceptant des transactions illicites hors des circuits bancaires (taux parallèle, marché noir, etc.). Vous risqueriez dans certains pays d'encourir de graves peines allant jusqu'à l'expulsion ou la prison pour infraction à la législation sur le contrôle des changes.

Vous arrivez dans un pays où vous allez séjourner quelques mois ou plusieurs années. **Vous n'êtes pas un touriste.**

De nombreuses démarches vous attendent, que vous devez accomplir avec un soin prudent. Faites preuve de patience.

Tous les renseignements dont vous avez besoin à votre arrivée peuvent vous être donnés par le **consulat de France** (ou la section consulaire de l'ambassade).

1.C. la représentation des Français résidant à l'étranger

1. Le Conseil supérieur des Français de l'étranger (CSFE)

Le Conseil supérieur des Français de l'étranger est un organisme consultatif destiné à permettre aux Français établis à l'étranger de participer, malgré leur éloignement, à la vie nationale et de faire entendre leur voix.

Présidé par le ministre des affaires étrangères, il est composé de membres élus pour trois ans au suffrage universel direct par les Français établis hors de France.

Il fournit au gouvernement des avis sur les problèmes intéressant les Français de l'étranger et participe à l'élection des sénateurs représentant les Français établis hors de France.

Le CSFE se réunit en général une fois par an, en session plénière. Entre-temps peuvent se tenir, à l'initiative du ministre des affaires étrangères, des réunions soit de son bureau, soit de l'une ou l'autre de ses commissions, permanentes ou temporaires, spécialisées.

Les membres du Conseil veillent à assurer, de façon constante, en leur qualité d'élus représentatifs des diverses communautés françaises à l'étranger, la défense des intérêts des Français expatriés.

Conseil supérieur des Français de l'étranger

Secrétariat général
23, rue La Pérouse, 75116 Paris
Tél. : (1) 45.02.14.23, poste 5103.

2. Les sénateurs représentant les Français établis hors de France

Le Conseil supérieur des Français de l'étranger élit les sénateurs représentant les Français établis hors de France (lois des 18 mai et 17 juin 1983 — décret du 9 août 1983).

La loi du 17 juin 1983 a porté le nombre des sénateurs de 6 à 12. L'application de cette mesure s'échelonne sur les renouvellements partiels du Sénat : 8 sénateurs en 1983, 10 en 1986, 12 en 1989.

Les membres élus du CSFE forment le collège électoral pour cette élection qui désormais est directe, le Sénat n'ayant plus à en approuver le résultat. Le mandat des sénateurs est de neuf ans. Ils sont renouvelables par tiers tous les trois ans.

En leur qualité de parlementaires, les sénateurs ont la possibilité de déposer des propositions de lois ou des amendements aux projets de lois, prenant en compte les intérêts et les aspirations des Français à l'étranger.

Sénat

Palais du Luxembourg
15, rue de Vaugirard, 75291 Paris Cedex 06
Tél. : (1) 42.34.20.00.

1.D. la vie associative

Divers organismes ou associations assurent la défense des droits et des intérêts des Français à l'étranger.

Les associations des Français à l'étranger peuvent vous aider en facilitant votre installation et votre adaptation, quel que soit le lieu de votre résidence.

L'Union des Français de l'étranger (UFE)

146, boulevard Haussmann, 75008 Paris
Tél. : (1) 45.62.66.31.

L'UFE est une association privée, fondée en 1927 et reconnue d'utilité publique. Elle a pour but de créer et de maintenir un contact étroit entre les **Français résidant à l'étranger** et la France. Elle assure la défense des intérêts matériels et moraux des Français établis hors de France vis-à-vis de la législation française.

L'UFE regroupe des sections locales qui fonctionnent à l'étranger et peuvent vous accueillir ou vous conseiller lorsque vous arrivez dans le pays de votre nouvelle résidence.

Elle publie une revue mensuelle, « La Voix de France », qui renseigne notamment sur la législation française applicable aux Français à l'étranger.

L'Association démocratique des Français à l'étranger (ADFE)

1, rue Paul Baudry, 75008 Paris
Tél. : (1) 42.56.15.79.

L'ADFE est une association reconnue d'utilité publique présente dans 90 pays. Elle permet aux Français vivant à l'étranger de se rassembler sans distinction sociale ou socio-professionnelle, pour :
● maintenir et améliorer leurs liens avec la France,
● prendre en main et résoudre leurs problèmes dans un esprit de solidarité et de justice sociale,
● participer à une vie associative française dynamique et ouverte sur la culture du pays d'accueil.

L'ADFE publie une revue trimestrielle, « Français du Monde », ainsi que de nombreux bulletins locaux.

La plupart des associations françaises **qui se sont créées à l'étranger, se sont spécialisées, soit selon l'origine de certains résidents français, soit selon leur profession, ou encore pour réunir ceux qui s'intéressent plus particulièrement aux questions scolaires et pédagogiques, à la vie culturelle, religieuse, sportive, ou à la formation professionnelle.**

Ces associations vous permettent de conserver des liens avec la France ; elles peuvent vous aider, vous informer, vous orienter ou vous offrir des contacts privilégiés avec les habitants du pays.

L'Alliance française

101, boulevard Raspail, 75270 Paris Cedex 06
Tél. : (1) 45.44.38.28.

C'est une association privée, reconnue d'utilité publique, qui a pour mission d'assurer la diffusion de la langue et de la civilisation françaises à l'étranger. Elle enseigne le français aux étrangers dans son école à Paris et dans ses écoles à l'étranger.

A l'étranger, elle entretient des bibliothèques, des discothèques et des cinémathèques françaises. Elle organise des manifestations culturelles.

L'Alliance israélite universelle

45, rue La Bruyère, 75009 Paris
Tél. : (1) 42.80.35.00.

Son action d'enseignement de la langue et de la culture françaises, ainsi que d'éducation juive, se concrétise essentiellement à travers un réseau d'écoles dans les pays d'Afrique du Nord, du Proche et du Moyen-Orient.

Elle dispose en outre d'établissements scolaires en France et assume la responsabilité de programmes éducatifs dans des écoles affiliées en Belgique, en Espagne, aux Pays-Bas et au Canada.

L'Association nationale des écoles françaises à l'étranger (ANEFE)

146, boulevard Haussmann, 75008 Paris
Tél. (1) 42.34.24.70.

Elle regroupe les associations gestionnaires des établissements d'enseignement à but non lucratif créés à l'étranger par les communautés françaises (166 écoles). Elle exerce une fonction générale d'information, d'aide et de conseil à ces associations ; elle a pour but particulier d'accorder à ces écoles des prêts garantis par l'Etat, pour l'acquisition, la construction ou l'aménagement de leurs locaux scolaires.

L'Aumônerie générale des Français hors de France

99, rue de Rennes, 75006 Paris
Tél. : (1) 45.49.22.99.

Fondée en 1955 pour le service de nos compatriotes hors de France, cette aumônerie comporte actuellement 234 implantations dans 77 pays, dont 37 aumôneries d'écoles françaises et 28 aumôneries de lycées.

181 prêtres sont au service de plus d'un million et demi de Français et de francophones, à temps complet ou à temps partiel.

Promouvoir une pastorale en cohérence avec celle du pays d'implantation dans le cadre de la pastorale des migrations et garder le lien avec la pastorale de l'Eglise qui est en France, est au cœur des objectifs de cette aumônerie.

Le Comité catholique des amitiés françaises dans le monde

99, rue de Rennes, 75006 Paris
Tél. : (1) 45.49.22.99.

Il contribue à faire connaître, dans le monde, la vie catholique française et, associé aux aumôniers des Français à l'étranger, il offre des possibilités d'aumônerie et d'éducation à l'étranger.

Le comité publie une revue trimestrielle « Amitiés Catholiques Françaises » diffusée dans plus de 93 pays. Par ailleurs, il soutient des bourses d'étudiants étrangers venant faire des études de français dans notre pays.

Le Comité national des conseillers du commerce extérieur de la France

22, avenue Franklin-Roosevelt, 75008 Paris
Tél. : (1) 43.59.66.24.

Ce comité regroupe l'ensemble des conseillers du commerce extérieur de la France résidant en métropole et hors du territoire national. Ses actions à l'étranger se réalisent sous l'égide des conseillers commerciaux des postes diplomatiques, en liaison avec les institutions françaises qui s'occupent de commerce extérieur, notamment les Chambres de commerce françaises à l'étranger.

Le Comité protestant des amitiés françaises à l'étranger

47, rue de Clichy, 75009 Paris
Tél. : (1) 48.74.25.72. (l'après-midi seulement)

Il a pour mission d'assurer la liaison avec les milieux de descendants de Huguenots du monde entier, en dehors du domaine ecclésiastique.

La Fédération des associations de parents d'élèves des établissements d'enseignement français à l'étranger (FAPEE)

101, boulevard Raspail, 75006 Paris
Tél. : (1) 45.44.08.49.

Reconnue d'utilité publique, seule fédération spécifique des parents d'élèves des établissements à l'étranger, la FAPEE, indépendante de toute attache politique ou syndicale, regroupe les associations, gestionnaires ou non, et les parents isolés, notamment ceux dont les enfants suivent un enseignement à distance (CNED).

La FAPEE participe aux instances de concertation pour définir une politique de scolarisation répondant aux besoins des Français à l'étranger (CEFE et Commission nationale des bourses).

Son action consiste à informer ses membres sur les questions de la vie scolaire, à les aider, et à défendre dans les établissements français à l'étranger un enseignement de qualité accessible à toutes les familles.

La Fédération des conseils de parents d'élèves des écoles publiques (FCPE)

108-110, avenue Ledru-Rollin, 75011 Paris
Tél. : (1) 43.57.16.16.

La FCPE, organisation laïque, regroupe un million de familles en France et à l'étranger. Prenant en compte les difficultés des Français à l'étranger, elle revendique de meilleures conditions de scolarisation pour leurs enfants et l'amélioration du fonctionnement des établissements.

La FCPE siège au Conseil pour l'enseignement français à l'étranger. Par ses deux revues « Pour l'enfant ... vers l'homme » (informations générales) et « La famille et l'école » (informations plus techniques), la FCPE permet aux parents de suivre les évolutions du système éducatif, de la maternelle à la terminale, et d'aider les familles et les jeunes gens dans leurs choix d'orientation.

La Fédération des professeurs français résidant à l'étranger (FPFRE)

7, rue Delaroche, 37100 Tours
Tél. : 47.54.27.42.

Elle rassemble les personnels enseignants, administratifs et culturels français en poste à l'étranger, indépendamment de leurs statuts et est représentée dans les pays étrangers par l'intermédiaire de ses associations. Elle siège dans plusieurs commissions paritaires ministérielles ; son président fédéral est membre du Conseil supérieur des Français de l'étranger. Elle réunit des adhérents syndiqués ou non syndiqués au nom du principe associatif, défend leurs intérêts matériels et moraux et la promotion de la langue et de la culture françaises à l'étranger au nom du pluralisme d'expression et de la concertation avec les administrations.

La Fédération nationale des anciens combattants résidant hors de France

18, rue de Vézelay, 75008 Paris
Tél. : (1) 45.61.17.30.

Fédération reconnue d'utilité publique, elle regroupe des associations d'anciens combattants (81 réparties dans tous les pays du monde) ayant leur siège à l'étranger, apporte son aide administrative et financière à ses adhérents et défend la cause de ses membres auprès des Pouvoirs publics.

La Mission laïque française

9, rue Humblot, 75015 Paris
Tél. : (1) 45.78.61.71.

Cette association, reconnue d'utilité publique depuis 1907, patronne de nombreux établissements d'enseignement dans le monde.

Aux termes de conventions, elle propose également son concours aux communautés françaises et aux entreprises qui expatrient du personnel afin d'implanter des écoles permanentes ou temporaires à l'étranger. Elle organise des stages pour la formation des enseignants ; enfin, elle édite un trimestriel, « Dialogues », revue de l'enseignement à l'étranger.

L'Union des Chambres de commerce et d'industrie françaises à l'étranger (UCCIFE)

2, rue de Viarmes, 75001 Paris
Tél. : (1) 45.08.39.10.

Etablissement reconnu d'utilité publique, il regroupe et représente en France les 48 CCIFE réparties sur les cinq continents. Il coordonne leurs activités au profit de nos exportations (accueil, informations, introductions dans les milieux d'affaires) avec un appui des Pouvoirs publics et des CCI de France.

L'Union des Chambres de commerce et d'industrie françaises à l'étranger dispose de brochures donnant la liste des CCIFE et leurs activités, et publie un bulletin « La Lettre de l'Union ».

L'Union fédérale des associations de parents d'élèves des établissements français à l'étranger (UFAPE)

91, boulevard Berthier, 75017 Paris
Tél. : (1) 42.67.63.20.

Créée en 1971, l'UFAPE est l'une des composantes de la Fédération des parents d'élèves de l'enseignement public, la PEEP, qui regroupe pour la France et l'étranger plus de 450.000 familles.

L'UFAPE, qui est représentée auprès de 60 établissements de l'étranger, a pour mission de défendre les intérêts des familles dont les enfants sont scolarisés dans les établissements d'enseignement français, de faciliter leur réintégration scolaire ou universitaire en métropole, et d'informer les parents par ses publications, « La voix des parents » et « PEEP-info ».

Indépendante et pluraliste, cette union fédérale entend également soutenir toute tentative tendant à promouvoir la culture française à l'étranger.

L'Union nationale des accueils des villes françaises (AVF)

600 villes-accueil en France : leur but n'est pas de procurer un emploi ou un logement, mais d'accueillir, informer et intégrer les personnes et les familles nouvellement arrivées dans la ville. Pour connaître l'adresse de l'AVF de la ville où vous allez vous installer, écrire au :

Secrétariat national AVF

20, rue du Général de Gaulle
Cosnes et Romain
54400 Longwy.

Hors de France, 43 accueils français se sont mis en place dans 24 pays. Ils se sont regroupés avec les AVF en **Fédération internationale des accueils français.** Pour en connaître l'adresse, écrire au :

Secrétariat FIAF

6, rue Albert Samain, 75017 Paris
ou au consulat de votre résidence.

La formation professionnelle

L'Association pour la formation professionnelle française à l'étranger (AFPE), 23, rue La Pérouse, 75116 Paris, tél. : (1) 45.02.14.23, poste 51 89, est une association qui a pour but d'**informer** sur le dispositif de la formation professionnelle continue française, d'**améliorer** les conditions de départ, de séjour et de retour des Français de l'étranger en développant les possibilités de formation et de recyclage qui leur sont offertes, et de **promouvoir** des actions spécifiques de formation professionnelle à l'étranger, dans un cadre de coopération avec les Etats étrangers.

Cette association regroupe les ministères des affaires étrangères, de la coopération, des affaires sociales et de l'emploi, de l'éducation nationale ainsi que des organismes tels que l'union des chambres de commerce et d'industrie françaises à l'étranger, l'association nationale pour la formation professionnelle des adultes, le comité d'entraide aux Français rapatriés ainsi que les associations de Français de l'étranger.

Elle publie bimestriellement « La lettre de l'AFPE » que vous trouverez notamment dans les consulats.

Vous pouvez vous adresser à cette association pour tout renseignement concernant la formation professionnelle.

Les syndicats

Les organisations syndicales nationales d'enseignants ont des sections « étranger », dont :

- **La Fédération de l'éducation nationale (FEN)**

48, rue La Bruyère, 75440 Paris Cedex 09
Tél. : (1) 42.85.71.01.
comprend parmi les syndicats nationaux qu'elle fédère, 10 syndicats ayant des élus dans les CCPM.

Parmi ceux-ci :

— Le Syndicat national de l'enseignement du second degré **(SNES-FEN)**
1, rue de Courty, 75007 Paris
Tél. : (1) 45.50.32.25.

— Le Syndicat national des instituteurs et des PEGC **(SNI-PEGC-FEN)**
209, boulevard Saint-Germain, 75007 Paris
Tél. : (1) 45.44.38.42.

— Le Syndicat national de l'administration universitaire **(SNAU-FEN)**
13, rue de Monsigny, 75002 Paris
Tél. : (1) 47.42.06.51.

— Le Syndicat national de l'enseignement supérieur **(SNESup-FEN)**
78, rue du Faubourg Saint-Denis, 75010 Paris
Tél. : (1) 47.70.90.35.

- **Le Syndicat général de l'éducation nationale (SGEN-CFDT)**

5, rue Mayran, 75442 Paris Cedex 09
Tél. : (1) 42.47.74.01.

- **Le Syndicat national des collèges (SNC)**

13, avenue de Taillebourg, 75011 Paris
Tél. : (1) 43.73.21.36.

- **Le Syndicat national des lycées et collèges (SNLC-FO)**

40, rue de Paradis, 75010 Paris
Tél. : (1) 48.24.20.44.

- **Le Syndicat national des lycées et collèges (SNALC-CSEN)**

5, rue Las Cases, 75007 Paris
Tél. : (1) 45.51.48.53.

La liste complète des syndicats ayant des sections « étranger » peut être obtenue en France auprès de l'ACIFE, 30, rue La Pérouse, 75116 Paris, et à l'étranger auprès des services culturels de l'Ambassade de France.

N.B. : Renseignez-vous auprès du consulat pour obtenir la liste des associations, amicales, clubs français ou franco-étrangers de votre pays de résidence.

2

L'EMPLOI
A L'ÉTRANGER

En France, certains services et organismes publics ou semi-publics, ainsi que des associations privées proposent des emplois à l'étranger.

Ces emplois exigent souvent un niveau de qualification élevé, et dans bien des cas une expérience professionnelle de plusieurs années.

Toutefois, si vous n'avez pas de qualification professionnelle mais possédez une vocation affirmée et un grand désintéressement, vous pouvez partir à l'étranger accomplir une activité bénévole ou semi-bénévole.

Vous trouverez dans ce chapitre des renseignements ou une orientation concernant les emplois offerts par :

- **les ministères,**
- **les agences et organismes publics ou semi-publics,**
- **les associations privées,**
- **les associations de coopération volontaire (ONG).**

A l'étranger, **les comités consulaires pour l'emploi et la formation professionnelle** créés auprès de tous les consulats recensant en principe plus de 5.000 immatriculés, possèdent des informations utiles sur les possibilités d'emploi à l'étranger, de nature locale. Des représentants des entreprises et des associations de Français siègent en particulier dans ces comités, qui peuvent vous aider à vous établir professionnellement. Renseignez-vous auprès du consulat de votre circonscription.

2.A. les ministères

a. Le ministère des affaires étrangères

Les agents de catégorie A, B, C et D du ministère des affaires étrangères sont recrutés par concours, dont l'accès est subordonné à certaines conditions d'âge, de diplômes ou d'ancienneté de service. Ils sont affectés soit à l'administration centrale du ministère (Paris ou Nantes), soit dans des postes diplomatiques et consulaires.

Les personnes intéressées peuvent s'adresser au **bureau des concours et examens professionnels** du ministère des affaires étrangères, 23, rue La Pérouse, 75116 Paris, qui tient à leur disposition des notices détaillées relatives à chacun des concours.

b. Le ministère de la coopération

Le recrutement des agents de ces services, affectés soit à l'administration centrale du ministère, soit dans les missions de coopération à l'étranger, se fait par concours de différents niveaux. Adressez-vous au ministère de la coopération, sous-direction des personnels de l'administration centrale et des services à l'étranger, 57, boulevard des Invalides, 75700 Paris, Tél. : (1) 47.83.10.10.

Visites : bureau de la formation professionnelle et des concours, 57, boulevard des Invalides, 75007 Paris.

Les emplois de coopérants

Le service central des candidatures a vocation à recevoir et centraliser dans un fichier unique, informatisé, les candidatures à tous les emplois relevant des ministères des affaires étrangères et de la coopération à l'exception de tout emploi diplomatique ou consulaire.

● **Ministère des affaires étrangères**

— postes dans les établissements français (écoles françaises, instituts, centres culturels, centres d'études et de documentation universitaire scientifique et technique — CEDUST, alliances françaises).

— postes d'enseignants dans les établissements scolaires étrangers.

— emplois de coopération technique dans les administrations et organismes étrangers.

— emplois de conseillers et d'attachés culturels, scientifiques et de coopération, de la direction générale des relations culturelles, scientifiques et techniques (DGRCST).

— emplois de secrétaires généraux, documentalistes, animateurs.

● **Ministère de la coopération**

— postes d'enseignants de tous niveaux et pour toutes disciplines.

— postes dans les établissements français, écoles et lycées.

— emplois techniques et administratifs.

● **Emplois d'experts internationaux dans les organisations internationales ou au titre de la coopération multilatérale.**

Pour l'ensemble des emplois, adressez-vous aux :
Ministère des affaires étrangères et ministère de la coopération
Service central des candidatures
57, boulevard des Invalides, 75007 Paris.
Tél. : (1) 47.83.19.05.
Informations : 57, boulevard des Invalides, 75007 Paris.

Le Service national dans la coopération

Vous avez la possibilité d'effectuer votre service national à l'étranger dans le cadre de la coopération, sous certaines conditions de durée (16 mois) et de qualification.

Vous devez être volontaire et votre demande doit être agréée par le ministère des affaires étrangères ou par le ministère de la coopération. L'examen des candidatures nécessite de longs délais. Vous devez donc formuler votre demande initiale d'agrément 8 à 10 mois avant la date d'incorporation souhaitée au :

Bureau commun du Service National
57, boulevard des Invalides, 75007 Paris.

c. Le ministère de l'économie, des finances et de la privatisation

Il recrute en très petit nombre du personnel à deux niveaux pour des emplois de responsabilité ou d'exécution dans les services commerciaux de nos ambassades à l'étranger. Toutefois, en l'absence de vacances d'emploi, aucun recrutement n'est envisagé en 1987.

S'adresser à la **Direction des relations économiques extérieures** (DREE)
Service de l'expansion économique à l'étranger
41, quai Branly, 75007 Paris.

d. Le ministère de l'industrie, des P et T et du tourisme

Il recrute en très petit nombre du personnel pour des emplois de responsabilité ou d'exécution dans les **services officiels français du tourisme à l'étranger.** Ces services sont installés dans 14 pays et emploient des agents de catégorie A, B et C.

Direction de l'industrie touristique, bureau de la gestion des personnels, 17, rue de l'Ingénieur Keller, 75740 Paris Cedex 15.

e. Les organisations internationales (intergouverne-mentales)

Les organisations internationales offrent un nombre limité de postes à des candidats hautement qualifiés dans leurs spécialités, ayant des connaissances solides et une bonne pratique des langues étrangères, et pouvant faire valoir plusieurs années d'expérience professionnelle.

Il s'agit d'emplois :

— **de fonctionnaire international,** pour servir au siège ainsi que dans les bureaux régionaux ou locaux des organisations internationales ;
— **d'expert international,** pour les activités de coopération technique des organisations internationales (développement rural, coopération technique et financière, relations du travail, santé, etc.).

Adressez-vous au :

Service des fonctionnaires internationaux
du ministère des affaires étrangères
1 bis, avenue de Villars, 75007 Paris.

2.B. les agences et organismes publics ou semi-publics

Les services spécialisés de l'Agence nationale pour l'emploi (ANPE)

à Paris

• Le Service pour l'emploi des Français à l'étranger (SEFRANE)

3, rue Clairaut, 75017 Paris
Tél. : (1) 46.27.70.57.

Le SEFRANE qui résulte d'une convention passée entre l'Agence nationale pour l'emploi et l'Office national d'immigration est une agence spécialisée dans **l'emploi des Français à l'étranger** (cadres et personnel d'exécution). Il collecte les offres d'emploi pour l'étranger émanant des entreprises françaises à vocation internationale situées en région Ile-de-France. Il est également en relation avec des sociétés étrangères, des services publics étrangers ou des organismes internationaux dont il traite les offres d'emploi.

Le **journal hebdomadaire des offres d'emploi pour l'étranger** publié par l'ANPE centralise toutes les possibilités d'emploi hors du territoire national, connu par le réseau de l'agence, dont le SEFRANE, le SEDOC (Système européen de diffusion des offres et des demandes d'emploi enregistrées en compensation internationale) ainsi que les services spécialisés pour le personnel d'encadrement situés en province.

Vous pouvez consulter ce journal dans les 675 agences locales et antennes de l'Agence nationale pour l'emploi et dans les missions et centres de l'Office national d'immigration. **Offres diffusées sur répondeur téléphonique :** (1) 42.29.60.10. **Minitel :** 36.15, code ULYSSE.

• Le Service spécialisé pour l'emploi dans la CEE

Tout travailleur de la CEE, qu'il soit permanent, saisonnier ou frontalier, a le droit de poser sa candidature à un emploi dans un Etat membre, et de se présenter à l'office de placement du pays dans lequel il désire travailler. **Le conjoint** du travailleur, **ses enfants de moins de 21 ans** et **ses parents**, s'ils sont à sa charge, peuvent le rejoindre dans le pays d'accueil et y travailler, même s'ils ne sont pas ressortissants de la CEE. Les travailleurs des autres pays de la CEE bénéficient des mêmes avantages sociaux et fiscaux et du même traitement que les nationaux. Ils ont les mêmes droits, y compris pour les indemnités pour perte d'emploi et l'accès à la formation.

Vous pouvez obtenir automatiquement votre permis de séjour, mais la recherche d'emploi dans un pays de la CEE nécessite formalités et préparation.

Pour tous renseignements sur les possibilités de travail dans la CEE, adressez-vous à

l'Agence nationale pour l'emploi

Service spécialisé CEE
10, rue Félix-Faure, 75015 Paris
Tél. : (1) 45.58.46.55 et 40.60.15.56.

Ce service échange des informations sur les offres et les demandes d'emploi des pays de la CEE.

Vous pouvez consulter les offres d'emploi en provenance des pays de la CEE dans le journal des offres d'emploi pour l'étranger publié par l'ANPE.

en province

● Le Service du placement international du centre régional de Rhône-Alpes

87, rue de Sèze, 69451 Lyon Cedex 06
Tél. : 78.24.52.76 et 78.52.90.02.

● Le Service du placement international du centre régional d'Alsace

18, rue Auguste-Lamey, 67005 Strasbourg
Tél. : 88.35.01.89.

L'Association pour l'emploi des cadres, ingénieurs et techniciens (APEC)

51, boulevard Brune, 75014 Paris
Tél. : (1) 40.52.20.00.

L'APEC est un organisme paritaire qui regroupe le Conseil national du patronat français et les organisations syndicales représentatives des cadres.

Il est officiellement chargé du placement et du recrutement des cadres de l'industrie et du commerce.

Il dispose d'une unité **« international »** spécialement chargée de conseiller et d'informer les cadres désirant s'expatrier et les entreprises qui souhaitent envoyer des cadres à l'étranger.

L'APEC édite un journal bi-hebdomadaire, « Courrier-Cadres », envoyé au domicile des candidats inscrits auprès de ses services et qui rassemble chaque année environ 22.000 offres.

De nombreux autres services sont offerts par l'APEC ; renseignez-vous pour les connaître ainsi que les différentes implantations régionales ou parisiennes de l'APEC.

L'Association pour l'emploi des cadres, ingénieurs et techniciens de l'agriculture (APECITA)

1, rue du Cardinal Mercier, 75009 Paris
Tél. : (1) 48.74.93.25.

L'APECITA est une association loi 1901, reconnue d'utilité publique.

C'est une association à gestion paritaire qui regroupe les organisations professionnelles agricoles et les organisations syndicales de salariés.

L'APECITA est officiellement chargée du placement et du reclassement des cadres, ingénieurs et techniciens des secteurs agricoles, para-agricoles et agro-alimentaires.

L'activité de l'APECITA s'exerce sur l'ensemble du territoire national par l'implantation de 21 délégations régionales. Ses offres d'emploi sont diffusées dans un journal bi-hebdomadaire « Tribune Verte ».

Renseignez-vous à l'adresse ci-dessus ; en fonction de votre lieu de résidence, les coordonnées de la délégation régionale vous seront transmises.

Le Centre technique forestier tropical (CTFT/CIRAD)

45 bis, avenue de la Belle-Gabrielle, 94736 Nogent-sur-Marne Cedex
Tél. : (1) 48.73.32.95.

Recrutement de technicien ou technicien supérieur (BTS ou IUT), ingénieur grandes écoles ou chercheur niveau minimum DEA.
Contrat de durée variable avec possibilité d'engagement définitif.
Spécialité : recherche et développement concernant les problèmes de bois et forêts en région chaude.
Pays d'affectation : Afrique, Asie, Océanie et Amérique latine.

La Compagnie française pour le développement des fibres textiles (CFDT)

13, rue de Monceau, 75008 Paris
Tél. : (1) 43.59.53.95.

Société d'économie mixte placée sous la tutelle du ministère de la coopération.

Recrutement d' ingénieurs agronomes ou du génie rural,
ingénieurs en mécanique, électricité et huileries, techniciens agricoles ou industriels BTA ou BTS,
personnel administratif et comptable.
Pays de recrutement : Afrique noire.

L'Institut français de recherche scientifique pour le développement en coopération (ORSTOM)

213, rue La Fayette, 75010 Paris
Tél. : (1) 48.03.77.77.

L'ORSTOM est un établissement de recherche en coopération.

Personnels recrutés (tous niveaux) : administratifs, techniciens, ingénieurs, chercheurs.

Pays d'affectation : Afrique francophone, Amérique latine et Caraïbes, Océan pacifique et Asie du Sud-Est, Océan indien.

La Société d'études et de conseil pour l'aménagement rural, l'inventaire et la gestion des ressources-bureau pour le développement de la production agricole (SCET AGRI-BDPA)

Immeuble « Le Béarn »
27, rue Louis Vicat, 75738 Paris Cedex 15
Tél. : (1) 46.38.34.75/76.

Groupe de deux sociétés d'études et de conseil spécialisées dans les problèmes de développement rural : ressources naturelles, politiques de développement, infrastructure rurale, élevage, pêche, agro-industries, formation et gestion des ressources humaines, centre de documentation, bureau fruits et légumes, centre de formation.

Personnel (300) : agronomes, ingénieurs G.R., T.R., génie civil, T.P., spécialistes de l'élevage, de la pêche, agro-économistes, économistes, informaticiens, formateurs, spécialistes de la gestion des ressources humaines.

La Société française d'ingénierie (BCEOM)

15, square Max-Hymans, 75741 Paris Cedex 15
Tél. : (1) 43.20.14.10.

Société anonyme d'économie mixte placée sous la tutelle conjointe des ministères de la coopération et de l'équipement, du logement, de l'aménagement du territoire et des transports.

Spécialité : ingénieur-conseil dans le domaine du développement économique et social et des infrastructures.

Zone : tous pays.

Recrutement : ingénieurs, économistes, techniciens.

2.C. les associations privées

● **L'Association française des experts de la coopération technique internationale** (AFECTI)

6, rue de Marignan, 75008 Paris
Tél. : (1) 42.56.45.71.

L'AFECTI, association sans but lucratif, rassemble des experts de la coopération internationale et publie un « bulletin de liaison » mensuel où il est rendu compte des activités de l'association et où paraît la liste des postes à pourvoir dans les organismes internationaux.

● **L'Institut de recherches et d'applications des méthodes de développement** (IRAM)

49, rue de la Glacière, 75013 Paris
Tél. : (1) 43.36.03.62.

Association à but non lucratif, l'IRAM travaille dans le secteur du développement rural avec le double objectif d'aider à la définition des stratégies capables de promouvoir le secteur agricole et de donner un rôle majeur aux paysans. En ce sens, cet institut participe à de nombreuses actions de développement, formation, suivi — évaluation, planification — programmation impliquant les divers responsables du développement : paysans, groupements, coopératives, cadres, administrations, bailleurs de fonds, principalement dans les pays africains, latino-américains et caraïbéens.

● **La Fédération des associations des ruraux migrant à l'étranger** (FARME)

92, rue du Dessous-des-Berges, 75013 Paris
Tél. : (1)45.83.04.92.

Association loi 1901, créée en 1977 par un groupe d'agriculteurs et le CDIR (Centre de documentation et d'information rurales).

Cette association a pour but d'apporter aux migrants désirant s'installer en milieu rural, et plus particulièrement en agriculture, à l'étranger, tous les éléments susceptibles de contribuer à la bonne réussite de cet établissement. Elle collabore avec l'ensemble des organismes de migration à travers le monde.

La FARME peut répondre aux demandes d'emploi à l'étranger en milieu agricole.

2.D. les associations de coopération volontaire (ONG)

La coopération avec les pays en développement peut s'effectuer dans le cadre des actions menées par des organisations non gouvernementales (ONG) jouissant généralement du statut d'associations de la loi de 1901. Ces ONG envoient dans les pays en développement des techniciens qui peuvent être civils ou volontaires du service national dans la coopération.

D'une manière générale, les postes offerts par ces organismes ne sont pas très nombreux. Ils correspondent à des spécialités très précises exigeant une compétence et une vocation affirmées, ainsi qu'un grand désintéressement.

L'âge minimum requis est de **18 ans** et l'expérience professionnelle d'environ une année. Les indemnités proposées sont souvent modestes.

● L'Association française de formation, coopération, promotion et animation d'entreprise (AFCOPA)

12, avenue Marceau, 75008 Paris
Tél. : (1) 47.20.70.40.

L'AFCOPA est une association sans but lucratif fondée pour permettre au secteur français des métiers de développer des actions de coopération dans les domaines de la formation professionnelle, de la gestion et du développement des petites et moyennes entreprises dans les pays du Tiers monde. Elle emploie des techniciens (BTS ou brevet de maîtrise) dans tous les secteurs de métier.

● L'Association française des volontaires du progrès (AFVP)

Le Bois du Faye, BP 2 Linas, 91310 Montlhéry
Tél. : (1) 69.01.10.95.

« Association déclarée loi 1901 », l'AFVP a été créée en 1963 à l'initiative du ministère de la coopération pour répondre initialement à un objectif de « rapprochement des jeunesses ». Devenue progressivement une « association de participation au développement », c'est en 1979 qu'une réforme statutaire lui a assigné pour objectif prioritaire l'organisation de la participation de jeunes volontaires à des actions de développement dans le Tiers Monde.

Elle recrute, sélectionne et prépare environ 300 volontaires par an, âgés de 21 à 30 ans (40 % formation agricole, 25 % médicale, 15 % hydraulique, 10 % artisanat, 10 % divers).

● Le Centre d'information et de documentation jeunesse (CIDJ)

101, quai Branly, 75740 Paris Cedex 15
Tél. : (1) 45.66.40.20.

Répond, sous forme de fiches d'adresses et de renseignements pratiques, aux questions des jeunes concernant un certain nombre de domaines, dont : l'emploi temporaire à l'étranger, l'enseignement à l'étranger, les stages à l'étranger, les séjours au pair à l'étranger..., etc. Il peut diffuser la totalité de ses fiches sous forme d'abonnement en France et à l'étranger.

● Le Centre national du volontariat (CNV)

130, rue des Poissonniers, 75018 Paris
Tél. : (1) 42.64.97.34 (de 10 h à 17 h).

Bureaux à Angers, Bordeaux, Grenoble, Lille, Lyon, Marseille, Nantes, Nancy, Nice, Orléans, Rouen, Strasbourg, Toulouse, dans la région parisienne, etc.

Répond aux questions concernant toutes les formes de bénévolat et met en relation les volontaires avec des organismes de solidarité, en France et dans le Tiers monde.

● Le Comité de coordination du service volontaire international de l'UNESCO

1, rue Miollis, 75015 Paris
Tél. : (1) 45.68.27.31/32.

Réalise de nombreuses publications parmi lesquelles :
— une brochure contenant les adresses des organisations de service volontaire à court terme (chantiers de 2 à 4 semaines), dans plus de 80 pays.
— une notice « Organisations françaises de service volontaire à moyen et à long terme (de 6 mois à 2 ans) ».

● Le Comité de liaison des ONG de volontariat (CLONG)

20, rue du Refuge, 78000 Versailles
et, à compter du 1er juillet 1987 :
49, rue de la Glacière, 75013 Paris.
Tél. : (1) 39.02.78.09.

● La Commission nationale de la jeunesse pour le développement (CNJD)

5, Place de Vénétie, 75013 Paris
Tél. : (1) 45.86.84.32.

• La Délégation catholique pour la coopération (DCC)

99, rue de Rennes, 75006 Paris
Tél. : (1) 45.49.22.44.

Service de l'Episcopat pour l'envoi des volontaires laïcs dans le Tiers monde et au service des jeunes églises, la DCC représente l'Eglise de France auprès des instances de l'Etat et des organismes non gouvernementaux pour toutes les questions concernant l'envoi de volontaires en coopération. La DCC a envoyé dans plus de 35 pays, 8 900 volontaires, soit au titre du service national, soit au titre d'un service civil. La durée de leur séjour est d'un minimum de deux ans. Les activités des volontaires se répartissent dans des services de santé, l'animation rurale, l'animation socio-éducative ou pastorale, l'enseignement classique, l'enseignement technique.

• Le Département évangélique français d'action apostolique (DEFAP)

102, boulevard Arago, 75014 Paris
Tél. : (1) 43.20.70.95.

Service protestant de mission et de relations internationales, le DEFAP coordonne et gère les relations internationales de la Fédération Protestante de France, l'information et l'animation dans les communautés paroissiales locales. Il assure l'accueil et le suivi des boursiers étrangers en France et procède à l'envoi de volontaires coopérants ou civils pour une durée de 2 ou 3 ans, essentiellement en Afrique de l'Ouest, Afrique australe et dans le Pacifique ; emplois dans l'enseignement, la santé, le développement agricole et l'action pastorale.

• La KORA

Centre pour la rencontre et le développement
Ferme de la Balmette, 38510 Morestel
Tél. : 74.80.27.46.

Peut être utilement consultée :

• La brochure « Le tiers-monde, que faire ? » (96 pages), qui est diffusée gratuitement par le Département de la communication du ministère de la coopération, 20, rue Monsieur, 75007 Paris, tél. : (1) 47.83.10.10., et dans laquelle sont répertoriées de nombreuses autres associations.

3

LA PREVENTION
MEDICALE

Avant tout **départ** dans le cadre d'une expatriation ou d'un détachement, bien souvent avec votre famille, ou à l'occasion d'un **retour** en France, il vous est recommandé de **consulter votre médecin traitant** ou **votre médecin d'entreprise.**

Ce dernier sera à même :
A. de pratiquer un examen très complet ;
B. de vous expliquer la situation sanitaire du lieu de travail ;
C. enfin, de vous renseigner sur les structures d'accueil et sur la médecine de soins pratiquée localement.

N.B. : La visite médicale est donc indispensable.

3.A. l'examen médical

Il comporte :

a. Avant le départ

— **une visite médicale** pour préciser l'aptitude du salarié à occuper son futur poste de travail.

Cet examen est non seulement clinique mais s'accompagne d'examens complémentaires (radios, laboratoires, etc.). Cette visite devra être faite suffisamment tôt afin d'avoir le temps nécessaire s'il apparaît que des examens spécialisés sont utiles.

— **les vaccinations** : il ne reste que deux vaccinations pouvant être imposées,

• la vaccination antiamarile (contre la fièvre jaune),
• la vaccination anticholérique parfois exigée.

Mais parmi les vaccinations non obligatoires cependant nécessaires, signalons :
• la vaccination antitétanique,
• la vaccination antipoliomyélitique.

Il conviendra parfois d'ajouter suivant l'opportunité :
• la vaccination antitypho et paratyphoïdique (T.A.B.),
• la vaccination antihépatite B,
• la vaccination antiméningocoque A et C, etc.

Ces vaccins se font en plusieurs injections et nécessitent d'une manière générale un certain délai entre chaque piqûre.

— **la chimioprophylaxie :**

Il s'agit essentiellement de la prévention du paludisme. Le développement et l'évolution de la résistance aux antipaludéens pose l'indication d'un traitement préventif adapté à la zone de résidence.

— la trousse médicale à emporter :

Outre les médicaments habituels qu'il conviendra d'emporter en quantité suffisante, il est recommandé d'avoir avec soi :
- un ou plusieurs antipaludéens si nécessaire,
- un antalgique,
- un désinfectant intestinal,
- un antiseptique cutané,
- des pansements, compresses, etc.

Il conviendra selon les besoins de compléter la trousse.

b. Au retour

— une visite médicale s'impose afin de contrôler l'état de santé des membres de la famille. Les examens complémentaires seront alors particulièrement utiles.

— mise au point des **vaccinations** avec injection de rappel si nécessaire.

— vérifier la date d'arrêt de la **chimioprophylaxie anti-paludéenne** lorsqu'elle est en cours.

— **consultation** en cas d'anomalies auprès des centres spécialisés en maladies tropicales.

N.B. : Négliger l'examen médical au départ comme au retour peut exposer à des conséquences graves.

3.B. la situation sanitaire du lieu de travail et les moyens de prévention

S'il existe dans toutes les villes des centres spécialisés, le médecin traitant ou le médecin du travail doit néanmoins pouvoir répondre aux nombreuses questions qui se posent :

— sur l'**hygiène alimentaire** et le **traitement de l'eau** ;

— sur le **climat** et l'**environnement** (soleil, chaleur, altitude, grand froid, morsures ou piqûres de serpents ou d'insectes, etc.) ;

— sur les **maladies infectieuses** ;

— sur les **maladies spécifiques de certains pays,** comme le paludisme, la bilharziose, etc. ;

— sur les **maladies sexuellement transmissibles** et sur le SIDA en particulier.

Il convient aussi de connaître les **loisirs** proposés et les **risques** qu'ils peuvent comporter.

N.B. : Il faut savoir que certains risques sont prévenus par des mesures de simple hygiène (ex. : usage des préservatifs pour éviter les maladies sexuellement transmissibles).

3.C. les structures d'accueil et les possibilités médicales existantes à l'étranger

Comme partout, elles sont changeantes et les informations ne peuvent être fournies que par des personnes compétentes.

Seul votre médecin traitant ou votre médecin d'entreprise a les possibilités de vous renseigner en s'aidant, s'il le juge nécessaire, auprès d'organismes spécialisés.

C'est ainsi que vous devriez connaître avant votre départ les noms et les adresses des médecins, dentistes, pharmaciens, hôpitaux, cliniques, laboratoires d'analyses, habituellement consultés par les Français.

N.B. : Ne partez pas sans avoir ces renseignements.

Enfin, il convient de pouvoir compter sur une compagnie d'assistance, particulièrement en cas de rapatriement sanitaire.

3.C. les structures d'accueil et les possibilités médicales existantes à l'étranger

4

LA PROTECTION
SOCIALE

4.A. les travailleurs salariés

1. La sécurité sociale

Votre situation est différente selon que vous êtes **détaché** ou **expatrié**.

Les salariés détachés

Si vous êtes détaché temporairement par votre employeur pour exercer un travail déterminé à l'étranger, vous pouvez continuer à relever de la législation française de sécurité sociale.

● **Les conditions à remplir**

Votre employeur, qui a seul l'initiative des formalités à accomplir, doit s'engager à verser l'intégralité des cotisations dues en France.

● **La durée du maintien au régime français**

a. Si vous êtes **détaché dans un pays de la CEE** ou **dans un pays ayant conclu une convention de sécurité sociale avec la France,** la durée est prévue dans l'accord.

Des conventions bilatérales de sécurité sociale ont été conclues avec les pays suivants (hors CEE) : Algérie, Andorre, Autriche, Bénin, Canada-Québec, Cap-Vert, Côte d'Ivoire, Gabon, Israël, Madagascar, Mali, Maroc, Mauritanie, Monaco, Niger, Norvège, Pologne, Roumanie, Saint Marin, Sénégal, Suède, Suisse, Tchécoslovaquie, Togo, Tunisie, Turquie, Yougoslavie. ·

Vous pouvez vous renseigner sur les dispositions contenues dans ces conventions en vous adressant au :

Centre de sécurité sociale des·travailleurs migrants
11, rue de la Tour-des-Dames, 75436 Paris Cedex 09
Tél. : (1) 45.26.33.41.

Si l'accord prévoit une durée maximale de détachement inférieure à six ans, vous pouvez, pour la période restant à couvrir dans la limite de cette durée, être détaché dans le cadre de la législation française.

Au-delà de la sixième année, si vous n'êtes pas maintenu à titre exceptionnel au régime français de sécurité sociale dans le cadre d'un accord de sécurité sociale, vous relèverez du **régime des travailleurs expatriés.** Toutefois, votre employeur peut, dès votre départ, opter pour ce dernier régime, et ne pas vous détacher.

b. **Dans tous les autres cas,** c'est-à-dire si vous êtes détaché dans un pays n'ayant pas conclu de convention de sécurité sociale avec la France, la durée du maintien au régime français **est de 3 ans maximum, renouvelable une fois.**

● **Maintien à l'ensemble du régime français de protection sociale**

Etant réputé résider et travailler en France, **vous êtes maintenu à l'ensemble de la protection sociale française** y compris donc la vieillesse, les retraites complémentaires et le chômage.

● **Double cotisation française et étrangère en cas de détachement dans le cadre de la législation française** (points a. et b. ci-dessus)

Si vous êtes détaché dans un pays ayant conclu une convention de sécurité sociale avec la France, et si la durée maximale de détachement conventionnel est dépassée, votre affiliation à son régime de sécurité sociale est obligatoire. Elle peut également l'être si vous êtes détaché dans un pays non lié à la France par une convention de sécurité sociale. Vous devez donc acquitter une double cotisation.

● **Les prestations**

Elles sont servies dans les conditions suivantes :

— *prestations en nature (maladie, maternité, accidents du travail) :*

a. dans la CEE et dans certains pays ayant signé une convention de sécurité sociale avec la France, elles sont servies par la caisse compétente du lieu de séjour selon les dispositions de la législation qu'elle applique.

b. dans les autres pays, elles sont calculées sur la base des tarifs-plafonds conventionnels pratiqués en France et versés par l'institution française compétente.

— *les indemnités journalières (maladie, maternité, accidents du travail)* vous sont versées par votre caisse française d'affiliation.

● **Prestations familiales françaises**

— Vos enfants restent en France : les prestations familiales continuent à vous être versées comme si vous vous y trouviez.

— Vos enfants vous accompagnent :

a. dans un pays lié à la France par un accord de sécurité sociale : seules les allocations familiales sont maintenues, parfois également l'allocation au jeune enfant pour la période pendant laquelle elle est versée sans condition de ressources.

b. dans un autre pays : le séjour de votre famille à l'étranger ne doit pas dépasser **3 mois** si vous voulez conserver le bénéfice de ces prestations.

Renseignez-vous avant de partir auprès de l'organisme qui vous verse les prestations.

Les salariés expatriés

Si vous ne remplissez pas (ou ne remplissez plus) les conditions pour bénéficier du régime français en tant que détaché, votre situation dépend du pays dans lequel vous exercerez votre activité salariale.

Ce pays peut être lié à la France par un instrument international de sécurité sociale (règlements CEE, conventions bilatérales signées avec les pays mentionnés à la page 62)

En principe, vous relevez du régime de sécurité sociale de ce pays et bénéficiez des dispositions prévues par l'instrument international de sécurité sociale que la France a conclu avec lui. Si vous le souhaitez, vous pouvez également adhérer **au régime des assurances volontaires des travailleurs salariés expatriés,** mais cette adhésion ne vous dispense pas de l'affiliation au régime local et ne vous empêche pas de bénéficier des dispositions conventionnelles.

Renseignez-vous auprès de l'ambassade ou du consulat de ce pays en France ou du Centre de sécurité sociale des travailleurs migrants,
11, rue de la Tour-des-Dames
75436 Paris Cedex 09
Tél. : (1) 45.26.33.41.

Les instruments internationaux de sécurité sociale signés par la France

En vertu des instruments internationaux de sécurité sociale signés par la France, vous bénéficierez d'une **égalité de traitement** avec les nationaux du pays où vous exercerez votre activité et il sera tenu compte de votre carrière d'assurance **(totalisation)** pour l'examen de vos droits éventuels aux différentes prestations, que ce soit par l'institution étrangère dans le nouveau pays d'emploi ou par la caisse française lorsque vous rentrerez en France. Vous serez donc affilié au régime local et pour pouvoir bénéficier, le cas échéant, le plus rapidement possible de prestations (maladie, maternité, prestations familiales), il vous faudra demander, avant de quitter la France, à la caisse compétente (maladie ou allocations familiales), le formulaire conventionnel d'attestation de périodes prévu à cet effet.

Renseignez-vous auprès de votre caisse d'assurance maladie, de votre caisse d'allocations familiales ou du Centre de sécurité sociale des travailleurs migrants,
11, rue de la Tour-des-Dames
75436 Paris Cedex 09
Tél. : (1) 45.26.33.41.

a. Vos droits dans le cadre des règlements CEE de sécurité sociale

— *Pendant votre période de travail dans un autre Etat membre de la CEE :*

Vous aurez droit aux prestations d'assurance **maladie-maternité** du régime local et ce, immédiatement, sur présentation du formulaire E 104 d'attestation de périodes d'assurance française délivré par votre caisse primaire d'assurance maladie.

— *Pendant un séjour temporaire en France*

Pendant un séjour temporaire en France, quel qu'en soit le motif, vous aurez droit sur présentation du formulaire E 111 **aux soins de santé** dans les mêmes conditions que les assurés du régime français.

Vos **indemnités journalières** vous seront versées par votre caisse étrangère d'affiliation.

Si vous n'avez pas pu accomplir les formalités auprès de la Caisse primaire d'assurance maladie ou si vous n'étiez pas muni du formulaire E 111, vous pourrez vous faire rembourser **à posteriori** par votre caisse étrangère sur la base des tarifs français de responsabilité.

— Pendant un transfert de résidence en France

Si vous êtes en arrêt de travail pour cause de maladie, de maternité ou d'accident du travail ou que vous souhaitez revenir en France pour y recevoir des soins, vous pouvez, sous réserve d'en avoir demandé l'autorisation à votre caisse étrangère d'affiliation (formulaire E 112), avoir droit aux soins comme si vous étiez assuré du régime français et conserver votre droit aux indemnités journalières étrangères.

— Prestations familiales

En tant que travailleur salarié ou chômeur, vous ouvrirez droit, en principe, en faveur de vos enfants demeurés en France, **aux prestations familiales de votre pays d'emploi.** Toutefois, une **allocation différentielle** versée par la caisse française d'allocations familiales pourra venir compléter le montant de ces prestations pour les porter au niveau des prestations familiales du régime français.

Les **prestations familiales françaises sans équivalence** dans le régime de votre pays d'emploi vous seront versées en totalité par la caisse française si vous remplissez les conditions exigées pour y prétendre.

Si toutefois, vous êtes expatrié en Espagne ou au Portugal, vous leur ouvrirez droit à titre transitoire aux indemnités pour charges de famille dans le cadre des anciennes conventions franco-espagnole et franco-portugaise de sécurité sociale.

— Membres de la famille

Si les membres de votre famille vous accompagnent, ils auront droit aux soins de santé et aux prestations familiales locales. Ils pourront, comme vous, bénéficier des dispositions prévues en matière de séjour temporaire ou de transfert de résidence en France.

S'ils restent en France, ils auront droit au titre de votre activité salariée aux soins de santé, sous réserve de se faire inscrire auprès de la caisse primaire d'assurance maladie en présentant un formulaire E 109 qui vous aura été délivré par votre institution étrangère d'affiliation.

— Pension d'invalidité

Le mode de liquidation de votre éventuelle **pension d'invalidité** dépendra des législations auxquelles vous aurez été soumis :

• si vous avez été soumis exclusivement et successivement ou alternativement à des législations prévoyant que le montant des pensions d'invalidité est indépendant de la durée des périodes d'assurance, vous aurez droit, en principe, à une seule pension d'invalidité, liquidée conformément à la législation de l'Etat où sera survenue votre incapacité.

• si, par contre, vous avez été soumis soit exclusivement à des législations selon lesquelles le montant des pensions d'invalidité dépend de la durée des périodes d'assurance accomplies, soit à des législations des deux types, votre pension d'invalidité sera liquidée comme une pension de vieillesse.

— Pension de vieillesse

Vos droits à pension de vieillesse seront déterminés comme suit :

1. vos droits à pension sont ouverts **sans qu'il soit nécessaire de tenir compte des périodes d'assurance** que vous avez accomplies, par ailleurs, dans

les autres Etats membres de la CEE : chaque institution compétente en matière d'assurance vieillesse calculera le montant de la **pension nationale** dont vous pourriez bénéficier au titre des seules périodes accomplies dans l'Etat en cause. Elle calculera également le montant de la **pension théorique** à laquelle vous auriez pu prétendre si toutes les périodes d'assurance avaient été accomplies dans cet Etat. Cette pension théorique sera réduite au prorata des seules périodes d'assurance effectivement accomplies dans le pays, le montant ainsi déterminé s'appelant une **pension proportionnelle.** La plus élevée des deux pensions, pension nationale ou pension proportionnelle, vous sera alors attribuée. **Vous recevrez donc directement de chacun des Etats votre pension de vieillesse.**

2. vos droits ne sont ouverts **qu'en tenant compte des périodes d'assurance** accomplies dans les autres Etats membres : chaque institution compétente calculera le montant de la **pension théorique** et le montant de la **pension proportionnelle** obtenu par réduction du montant de la pension théorique au prorata des périodes accomplies sous la législation en cause par rapport à l'ensemble des périodes accomplies sous les législations des différents Etats membres et attribuera la **pension proportionnelle. Vous recevrez donc directement de chacun des Etats où vous avez travaillé, une pension proportionnelle de vieillesse.**

b. Vos droits dans le cadre des conventions bilatérales de sécurité sociale

— Pendant votre période d'emploi à l'étranger

Vous aurez droit aux prestations locales d'assurance **maladie** et **maternité** et ce, immédiatement, dans le cadre des conventions prévoyant une coordination en ce domaine, sur présentation d'un formulaire attestant de vos périodes d'assurance française et sous réserve qu'il ne se soit pas écoulé un certain délai depuis la fin de votre période d'assurance française.

— Pendant un séjour temporaire en France

Pendant un séjour temporaire en France notamment à l'occasion de **congés payés**, vous aurez droit, si la convention le prévoit, aux soins de santé comme si vous étiez assuré du régime français et aux indemnités journalières de votre caisse étrangère d'affiliation, sous réserve d'accomplir les formalités convention-nelles requises.

— Pendant un transfert de résidence en France

Si vous êtes en arrêt de travail par suite d'une maladie, d'une maternité ou d'un accident du travail, ou si vous souhaitez recevoir des soins en France, **vous pouvez bénéficier des prestations en nature** comme si vous étiez assuré du régime français et **continuer à recevoir les prestations en espèces** de votre caisse étrangère d'affiliation, sous réserve de lui en avoir demandé l'autorisation avant le départ.

— Prestations familiales

Vous ouvrirez droit, pour vos enfants restés en France, à une participation aux allocations familiales françaises ou à des indemnités pour charges de famille. Toutefois, votre famille recevra les mêmes prestations que si vous étiez demeuré en France, car **l'allocation différentielle** viendra éventuellement s'ajouter au montant de la participation ou des indemnités pour charges de famille.

— Membres de la famille

Si les membres de votre famille vous accompagnent, ils auront droit aux soins de santé et aux prestations familiales locales. Ils pourront, comme vous, bénéficier des dispositions prévues en matière de séjour temporaire à l'occasion des congés payés ou de transfert de résidence en France.

S'ils restent en France, ils auront droit au titre de votre activité salariée, si la convention le prévoit, aux soins de santé, sous réserve de se faire inscrire auprès de la caisse primaire d'assurance maladie en présentant l'attestation conventionnelle prévue à cet effet.

Si la convention ne prévoit pas cette situation, ils pourront adhérer à l'assurance personnelle ou bénéficier, en temps qu'ayants droit du travailleur, de l'assurance volontaire maladie-maternité du régime des expatriés.

— Pension d'invalidité

Aux termes des conventions comportant un chapitre invalidité, votre pension sera liquidée conformément à la législation dont vous relèverez au moment de l'interruption de travail suivie d'invalidité.

— Pension de vieillesse

Le mode de liquidation de votre **pension de vieillesse** se fera :

● par **totalisation** de vos périodes d'assurance et **proratisation** si vous avez travaillé en Israël, en Pologne ou en Tchécoslovaquie ;

● **au choix, suivant ce premier système** ou par **liquidation séparée,** si vous avez exercé votre activité en Andorre, au Gabon, dans les Iles anglo-normandes, au Mali, en Mauritanie, au Niger, à Saint Marin, au Sénégal, en Suisse, au Togo, en Tunisie, en Turquie ou en Yougoslavie ;

● selon **des dispositions identiques à celles figurant dans les règlements CEE,** dans la plupart des autres pays liés à la France par convention.

Le régime des assurances volontaires des expatriés : maladie-maternité-invalidité, accidents du travail-maladies professionnelles

La loi du 31 décembre 1976, dont les dispositions ont été modifiées par la loi du 13 juillet 1984, a donné aux Français de l'étranger la possibilité d'adhérer à ces deux assurances volontaires. Pour en bénéficier, vous devez connaître :

● **Les conditions à remplir**

— être salarié ou assimilé dans un pays étranger (y compris la CEE),
— posséder la nationalité française (ou, sous certaines conditions, être ressortissant de la CEE),
— ne pas (ou ne plus) pouvoir bénéficier du régime français obligatoire de sécurité sociale.

● **Les prestations**

Maladie-maternité

— Prestations en nature :

Les soins que vous ou vos ayants droit recevez en France, sont pris en charge comme pour les salariés métropolitains.

Les soins que vous recevez à l'étranger sont pris en charge sur la base des frais réels, dans la limite des tarifs français de remboursement (sauf hospitalisation où des tarifs spécifiques sont appliqués).

Vous pouvez également, sous certaines conditions, bénéficier d'une prise en charge lors de vos séjours temporaires en France supérieurs à 3 mois et inférieurs à 6 mois.

— Prestations en espèces :

Sur option, moyennant une cotisation supplémentaire.

Accidents du travail-maladies professionnelles

— remboursement de vos dépenses de santé occasionnées par un accident du travail ou consécutives à une maladie professionnelle,
— indemnisation en cas d'interruption du travail,
— éventuellement, rente versée à vous-même ou, en cas d'accident mortel, à vos ayants droit,
— sur option, prise en charge des frais occasionnés lors d'un accident de trajet entre la France et le pays d'expatriation ainsi qu'au cours du retour (accidents liés au travail).

Invalidité

Une pension vous sera attribuée en cas d'invalidité réduisant au moins de 2/3 votre capacité de travail.

N.B. : En fonction de votre situation sociale et financière, la **Caisse des Français de l'étranger** peut vous servir, sur votre demande, des prestations supplémentaires ou des secours sur son **fonds d'action sanitaire et sociale.**

● **Les formalités**

A quel moment adhérer ?

Assurance maladie-maternité-invalidité : la demande doit être faite dans le délai **d'un an** qui suit la date à laquelle votre situation vous permettait d'adhérer (à l'expiration de ce délai, le versement d'un rappel de cotisations est nécessaire).

Attention : votre adhésion prend effet au premier jour du mois suivant la réception par la caisse de votre demande. Cette date ne peut être antérieure au début de votre activité à l'étranger.

Assurance accidents du travail-maladies professionnelles : à tout moment, dès l'instant où votre situation vous permet d'y adhérer.

Où adresser votre demande d'adhésion :

A la **Caisse des Français de l'étranger**
Rubelles, 77951 Maincy Cedex
Tél. : (1) 60.68.01.62.

où vous devez également adresser vos demandes de prestations.

La déclaration d'un accident du travail doit, notamment, y être faite dans les **48 heures.**

N.B. : Un bureau d'accueil de la Caisse des Français de l'étranger est ouvert du mardi au vendredi, de 9 h à 16 h 30, 175, rue du Chevaleret, 75013 Paris.

● **Les cotisations**

— elles sont dues en totalité par vous-même. Toutefois, vous pouvez, au moment de l'établissement de votre contrat, en négocier la prise en charge totale ou partielle par votre employeur ;

— elles sont payées trimestriellement, mais peuvent être réglées d'avance pour l'année civile entière.

Le droit aux prestations est subordonné au paiement des cotisations.

● **Le coût**

Assurance maladie-maternité-invalidité : plafond annuel de la sécurité sociale (115.560 F au 1.1.1987), ou 2/3 du plafond (77.040 F au 1.1.1987), en fonction de vos revenus, multiplié par un taux fixé par décret (8,40 %).

Important : une baisse de 1 point du taux de cotisation maladie-maternité-invalidité est effective depuis le 1er janvier 1987, ce qui le porte à 7,40 %, soit une réduction de 12 % des cotisations.

Assurance accidents du travail-maladies professionnelles : salaire de base, que vous avez choisi entre un salaire minimum (72.776,96 F au 1.1.1987) et un salaire maximum (291.107,84 F au 1.1.1987), multiplié par un taux fixé par décret (1,5 %).

L'assurance volontaire vieillesse-veuvage

Pour vous constituer **une pension complète de retraite**, vous pouvez adhérer, à titre individuel, à l'assurance volontaire vieillesse.

● **Les conditions**

— exercer une activité professionnelle dans un pays étranger (y compris la CEE),
— être de nationalité française (ou, sous certaines conditions, être ressortissant de la CEE),
— adhérer dans un délai de **2 ans**, à compter du jour de votre début d'activité à l'étranger.

● **Les cotisations**

Il existe quatre classes de cotisations, en fonction de votre âge et de vos ressources. Les cotisations sont calculées sur une base forfaitaire différente selon la classe. Le taux est de 14,70 % depuis le 1er octobre 1986.

Les cotisations sont payables d'avance, dans **les 15 premiers jours de chaque trimestre civil.**

● **Les prestations**

Les conditions à remplir pour bénéficier d'une pension de retraite sont celles du régime général de la sécurité sociale des salariés.

La pension est fixée par référence à la somme annuelle qui a servi de base au calcul des cotisations effectivement versées.

Vous pouvez adresser votre demande

— si vous êtes nouvel adhérent ou si vous cotisez à l'assurance volontaire maladie-maternité-invalidité ou à l'assurance volontaire accidents du travail et maladies professionnelles, à la :

Caisse des Français de l'étranger
Rubelles, 77951 Maincy Cedex
Tél. : (1) 60.68.01.62.

Cet organisme vous renseignera également sur l'abaissement de l'âge de la retraite à 60 ans.

— si vous avez déjà cotisé au régime général des travailleurs salariés, à la caisse à laquelle vous avez versé vos dernières cotisations vieillesse,

— si vous n'avez jamais cotisé à un régime français de sécurité sociale, à la Caisse des Français de l'étranger (voir ci-dessus).

N.B. : **Le rachat des cotisations** des périodes passées à l'étranger n'est plus possible depuis le 1er juillet 1985. Ce délai pourrait toutefois être réouvert.

● **La liquidation de votre retraite**

Tous les renseignements concernant le calcul ou la liquidation de votre retraite acquise par versements de cotisations à titre obligatoire ou volontaire vous seront fournis par la **Caisse nationale d'assurance vieillesse des travailleurs salariés**

110, rue de Flandre, 75951 Paris Cedex 19
Tél. : (1) 42.03.96.57.

N.B. : **L'assurance-veuvage** qui est entrée en vigueur le **1er janvier 1981** concerne les conjoints survivants d'assurés relevant de l'assurance volontaire vieillesse des Français de l'étranger, sans condition de résidence.

2. Les retraites complémentaires

Vous en bénéficiez :

1. si votre entreprise adhère à un ou plusieurs régimes de retraite complémentaire,

2. si, à défaut, vous y adhérez à **titre individuel.**

Dans le premier cas, votre entreprise, soit a déjà obtenu, soit demande pour vous et ses autres salariés français, une extension territoriale des régimes en cause.

L'entreprise peut adhérer aux régimes :

— **ARRCO** (cadres et non cadres)
Association des régimes de retraites complémentaires
44, boulevard de la Bastille, 75012 Paris
Tél. : (1) 43.46.13.20.

— **AGIRC** (cadres sur la deuxième tranche de salaire)
Association générale des institutions de retraite des cadres
4, rue Leroux, 75116 Paris
Tél. : (1) 45.01.53.20.

— **IRICASE** (cadres supérieurs)
Institution de retraite interprofessionnelle des cadres supérieurs d'entreprises
13, rue Bachaumont, 75099 Paris Cedex 02
Tél. : (1) 42.96.14.72.

Les entreprises sises à l'étranger doivent s'adresser au groupe :
CRE-IRCAFEX-IRICASE
4, rue du Colonel Driant, 75040 Paris Cedex 01
Tél. : (1) 42.33.21.63 – Télex : Paris 240285 Carexpa

Dans le deuxième cas, vous pouvez adhérer individuellement :

— au régime des cadres **(AGIRC)** : la possibilité d'adhérer à l'**IRCAFEX** (Institution de retraites des cadres et assimilés de France et de l'extérieur) est ouverte aux Français exerçant des fonctions salariées d'ingénieur, de cadre ou d'assimilé, dans les entreprises relevant du secteur industriel et commercial ;

— au régime **ARRCO** : la possibilité d'adhérer à la **Caisse de retraites des expatriés (CRE)** est ouverte aux Français, cadres ou non cadres, exerçant des fonctions salariées dans des entreprises relevant du secteur industriel et commercial.

Cette adhésion suppose l'adhésion préalable à l'assurance vieillesse de la sécurité sociale et, pour les cadres, à l'**IRCAFEX.**

— au régime **IRICASE** : la possibilité d'adhérer à la section des Expatriés de l'IRICASE est ouverte aux cadres supérieurs français dont la rémunération brute excède un certain montant.

Dans tous les cas, vous pouvez obtenir les renseignements sur ces possibilités d'adhésion, ainsi que sur les achats rétroactifs de points au régime de retraite des cadres, **en vous adressant au groupe CRE-IRCAFEX-IRICASE** cité plus haut.

3. Les institutions de prévoyance

Vous pouvez également vous constituer une retraite en cotisant soit au :

Régime interprofessionnel de prévoyance (RIP)

45, rue des Acacias, 75855 Paris Cedex 17
Tél. : (1) 47.66.02.01.

soit à la :

Caisse nationale de prévoyance (CNP)

Délégation régionale DOM-TOM et étranger
67, rue de Lille, 75356 Paris Cedex
Tél. : (1) 42.34.69.70.

Vous pouvez également vous renseigner à la :

Trésorerie générale pour l'étranger

Caisse nationale de prévoyance
30, rue de Malville, 9X, 44040 Nantes Cedex
Tél. : 40.76.31.25.

N.B. : Toute personne salariée ou non salariée peut adhérer à ces institutions de prévoyance. **Renseignez-vous** aux adresses ci-dessus, pour connaître conditions et cotisations.

4.B. les travailleurs non salariés

Si vous exercez une activité non salariée (artisanale, industrielle, commerciale, libérale ou agricole), vous pouvez être **détaché** (maintenu au régime français de sécurité sociale) **dans le cadre des règlements CEE,** ou **expatrié.**

1. Les travailleurs non salariés détachés

Si vous partez temporairement à l'étranger, vous pouvez continuer à relever de la législation française de sécurité sociale.

• Les conditions à remplir

Vous devrez accomplir vous-même les formalités et vous engager à continuer à acquitter les cotisations de sécurité sociale dues en France.

• La durée du maintien au régime français de sécurité sociale

Dans le cadre des règlements CEE, vous pourrez, en principe, être maintenu au régime français de sécurité sociale pendant **douze mois (renouvelable une fois).**

• Prestations

A la différence des travailleurs salariés détachés, les **allocations familiales ne continueront pas à vous être versées** si les membres de votre famille vous accompagnent.

Vous pouvez vous renseigner sur les dispositions prévues par **les règlements CEE** en vous adressant au :
Centre de sécurité sociale des travailleurs migrants
11, rue de la Tour-des-Dames
75436 Paris Cedex 09
Tél. : (1) 45.26.33.41.

2. Les travailleurs non salariés expatriés

Si vous n'êtes pas maintenu au régime français de sécurité sociale dans le cadre des règlements CEE, votre situation dépend du pays dans lequel vous exercez votre activité non salariée.

Ce pays peut être lié à la France par un **instrument international de sécurité sociale visant les travailleurs non salariés** (règlements CEE, conventions signées avec le Canada, la Suède, la Suisse et l'accord signé avec les îles anglo-normandes).

Vous pouvez vous renseigner sur les dispositions contenues dans ces accords en vous adressant au **Centre de sécurité sociale des travailleurs migrants** cité plus haut.

Vous pouvez également adhérer à l'**assurance volontaire maladie-maternité** des non-salariés expatriés.

– Instruments internationaux de sécurité sociale signés par la France

A l'exception des dispositions prévues en matière de chômage et de prestations familiales qui ne concernent que les travailleurs salariés, les règlements CEE vous sont, en principe, applicables dans les mêmes conditions qu'aux travailleurs salariés.

Les travailleurs non salariés expatriés dans un pays lié à la France par une convention bilatérale de sécurité sociale les visant (Canada, Suède, Suisse, îles anglo-normandes) bénéficient eux aussi, sauf exception, des dispositions prévues en faveur des travailleurs salariés.

– Assurance volontaire maladie-maternité du régime des expatriés

• Conditions

Vous devez exercer une activité non salariée dans un pays étranger (y compris la CEE) et posséder la nationalité française (ou, sous certaines conditions, être ressortissant de la CEE).

• Prestations

Vous bénéficierez des prestations en nature (remboursement des soins) de l'assurance maladie-maternité des travailleurs salariés. Les soins reçus à l'étranger sont remboursés sur la base des frais réels dans la limite des tarifs conventionnels français.

Vous pouvez également, sous certaines conditions, bénéficier d'une prise en charge lors de vos séjours temporaires en France supérieurs à 3 mois et inférieurs à 6 mois.

N.B. : En fonction de votre situation sociale et financière, la **Caisse des Français de l'étranger** peut vous servir, sur votre demande, des prestations supplémentaires ou des secours sur son **fonds d'action sanitaire et sociale**.

• A quel moment adhérer ?

Dans le délai d'un an qui suit le début de votre activité à l'étranger.

Toutefois, si ce délai est passé, vous devez acquitter les cotisations exigibles dans la limite des cinq dernières années précédant la demande.

● **Le coût**

Plafond annuel de la sécurité sociale ou 2/3 du plafond, en fonction de vos revenus, multiplié par un taux fixé par décret (depuis le 1er février 1981 : 7,50 %).

Important : une baisse de 1 point du taux de la cotisation maladie-maternité est effective depuis le 1er janvier 1987, ce qui le porte à 6,50 %.

● Où adresser votre demande :

Caisse des Français de l'étranger
Rubelles, 77951 Maincy Cedex
Tél. : (1) 60.68.01.62.

— Assurance volontaire vieillesse-veuvage

Selon votre activité professionnelle, vous devez vous adresser à la Caisse spécifique de cette profession.

Pour les professions industrielles et commerciales

Caisse interprofessionnelle d'assurance vieillesse des industriels et commerçants d'outre-mer et français de l'étranger (CAVICORG) qui dépend de l'ORGANIC
21, rue Boyer, 75960 Paris Cedex 20
Tél. : (1) 47.97.17.29.

Pour les professions libérales

Caisse nationale d'assurance vieillesse des professions libérales
102, rue de Miromesnil, 75008 Paris
Tél. : (1) 45.63.75.95.

Pour les professions agricoles

Caisse centrale de mutualité sociale agricole (CCMSA)
8, rue d'Astorg, 75380 Paris Cedex 08
Tél. : (1) 42.96.77.77.

Pour les professions artisanales

Caisse artisanale d'assurance vieillesse (dépend de la CANCAVA)
5, rue Paul Demange, 78290 Croissy-sur-Seine
Tél. : (1) 39.76.53.17.

Ces organismes vous indiqueront les conditions d'adhésion ainsi que le montant des cotisations.

L'assurance volontaire vieillesse des travailleurs non salariés donne droit, en général, aux mêmes prestations que l'assurance obligatoire qui comporte un régime d'assurance invalidité-décès et un régime complémentaire d'assurance-vieillesse.

N.B. : Vous pouvez également vous constituer une retraite complémentaire en adhérant à une institution de prévoyance (voir p. 72).

Protection sociale des Français Expatriés
Régimes de Base

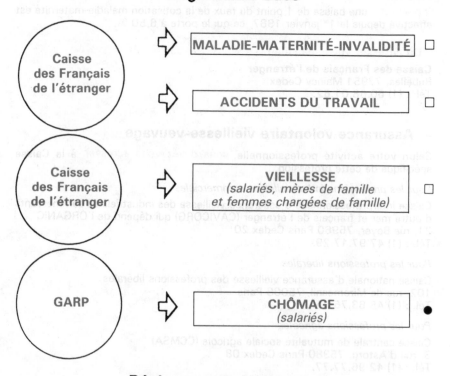

Caisse des Français de l'étranger	⇨ **MALADIE-MATERNITÉ-INVALIDITÉ** ☐
	⇨ **ACCIDENTS DU TRAVAIL** ☐
Caisse des Français de l'étranger	⇨ **VIEILLESSE** *(salariés, mères de famille et femmes chargées de famille)* ☐
GARP	⇨ **CHÔMAGE** *(salariés)* ●

Régimes complémentaires

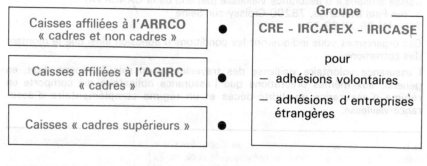

Caisses affiliées à l'**ARRCO** « cadres et non cadres » ●	**Groupe** **CRE - IRCAFEX - IRICASE**
Caisses affiliées à l'**AGIRC** « cadres » ●	pour
Caisses « cadres supérieurs » ●	– adhésions volontaires – adhésions d'entreprises étrangères

☐ adhésion volontaire   ● adhésion volontaire ou d'entreprise

4.C. les pensionnés des régimes français de retraite

Si vous bénéficiez d'une pension de retraite d'un régime français et si vous résidez à l'étranger, vous pouvez au titre de votre pension bénéficier des soins de santé **dans le cadre d'un instrument international de sécurité sociale.**

Renseignez-vous sur les dispositions prévues par ces accords (règlements CEE, Algérie, Andorre, Autriche, Monaco, Norvège, Pologne, Québec, Suède, Tchécoslovaquie, Tunisie, Turquie, Yougoslavie) auprès du **Centre de sécurité sociale des travailleurs migrants**
11, rue de la Tour-des-Dames, 75436 Paris Cedex 09
Tél. : (1) 45.26.33.41.

Vous pouvez également adhérer à l'**assurance volontaire maladie-maternité** des pensionnés expatriés.

Instruments internationaux de sécurité sociale

Si vous êtes titulaire d'une pension locale ou d'une pension liquidée dans le cadre conventionnel, vous aurez droit dans le pays qui vous sert cette pension ou cette part de prestations, aux **soins de santé** en tant qu'assuré du régime local.

Si vous êtes titulaire d'une pension française de vieillesse et que vous résidez dans un pays lié à la France par un instrument international de sécurité sociale reconnaissant le droit aux soins de santé aux pensionnés se trouvant dans le pays autre que l'Etat débiteur de la pension, **vous aurez droit aux soins de santé du régime local.** Vous devrez vous faire inscrire auprès de l'institution compétente du lieu de résidence en présentant le formulaire conventionnel prévu à cet effet et établi par la caisse française débitrice de la pension.

En tant que titulaire d'une pension, vous pouvez, **dans le cadre des règlements CEE**, avoir droit aux **prestations familiales pour vos enfants à charge.**

Assurance volontaire maladie-maternité des pensionnés expatriés

● **Les conditions à remplir**
— posséder la nationalité française,
— être titulaire d'une retraite allouée au titre d'un régime français obligatoire ou volontaire et justifier d'une durée d'assurance minimum de 20 trimestres (l'assurance minimun de 20 trimestres peut être obtenue en additionnant les périodes d'assurance réunies dans plusieurs régimes, à l'exclusion de celles qui se superposent),
— n'exercer aucune activité professionnelle et résider dans un pays étranger (y compris la CEE).

• Les prestations

— *Soins à l'étranger :*

Vous percevrez, vous et vos ayants droit, le remboursement des dépenses de santé occasionnées par la maladie et la maternité (pour cette dernière, certains ayants droit seulement) selon les mêmes modalités que celles prévues pour les salariés et les non-salariés.

— *Soins en France :*

Vous pouvez également, sous certaines conditions, bénéficier d'une prise en charge lors de vos séjours temporaires en France.

Si vous avez des droits propres en France, les prestations seront servies par l'organisme compétent en France. Toutefois, la Caisse des Français de l'étranger peut servir ces prestations sous réserve d'un remboursement par l'organisme compétent.

N.B. : En fonction de votre situation sociale et financière, la **Caisse des Français de l'étranger** peut vous servir, sur votre demande, des prestations supplémen- aires ou des secours sur son **fonds d'action sanitaire et sociale.**

• Les formalités

A quel moment adhérer :

avant l'expiration d'un délai **d'un an**, à compter de la date à laquelle vous vous trouvez dans la situation vous permettant de bénéficier de cette assurance volontaire (à l'expiration de ce délai, vous pouvez néanmoins adhérer à l'assu- rance volontaire en effectuant un **rachat des cotisations exigibles, dans la limite des cinq dernières années**).

Où adresser votre demande :

à la **Caisse des Français de l'étranger**
Rubelles, 77951 Maincy Cédex
Tél. : (1) 60.68.01.62.

• Les cotisations

Elles sont prélevées à chaque échéance, sur le montant brut de chacune des retraites dont vous êtes bénéficiaire, par l'organisme débiteur ou payeur de ces retraites.

• Le coût

Le taux de cotisation est fixé à 2,40 % sur chaque avantage, depuis le 1er janvier 1987.

4.D. les autres catégories

La loi n° 84-604 du 13 juillet 1984 portant diverses mesures relatives à l'amélioration de la protection sociale des Français de l'étranger a étendu, depuis le 1er janvier 1985, le champ d'application du régime des expatriés aux **inactifs résidant à l'étranger (y compris la CEE),** qui ont désormais la possibilité de s'assurer volontairement contre les risques de maladie et les charges de la maternité ainsi qu'aux mères de famille et femmes chargées de famille qui peuvent adhérer volontairement à l'assurance vieillesse et à l'assurance-veuvage.

1. Catégories diverses d'assurés volontaires

Les Français titulaires d'un avantage de cessation anticipée d'activité qui, n'exerçant aucune activité professionnelle, résident dans un pays étranger, ont la faculté de s'assurer volontairement contre les risques de maladie et les charges de la maternité.

Il en va de même :
- **des étudiants** dont l'âge est inférieur à 26 ans,
- **des chômeurs,**
- **des titulaires d'une rente d'accident du travail ou d'une pension d'invalidité, allouée au titre d'un régime français obligatoire,**
- **des conjoints survivants ou divorcés ou séparés d'un assuré,**
- **des conjoints, ou conjoints survivants ou divorcés ou séparés d'étrangers ou de Français non assurés.**

Tous les autres Français résidant à l'étranger peuvent s'assurer volontairement contre les riques de maladie et les charges de la maternité.

La demande d'adhésion doit être en principe présentée dans le délai d'un an auprès de la :

Caisse des Français de l'étranger
Rubelles, 77951 Maincy Cedex
Tél. : (1) 60.68.01.62.

Pour les Français titulaires d'un avantage de cessation anticipée d'activité, les cotisations (7,50 %), assises sur les revenus de remplacement ou les allocations perçues par les intéressés, sont précomptées par les organismes débiteurs de ces avantages. Elles comprennent le prélèvement de 5,50 % déjà effectué par ces organismes.

Celles à charge des étudiants, des chômeurs, des titulaires d'une rente d'accident du travail ou d'une pension d'invalidité, des conjoints survivants, divorcés ou séparés d'un assuré, des conjoints ou conjoints survivants ou divorcés ou séparés d'étrangers ou de Français non assurés, sont calculées sur la base d'une assiette soit égale au plafond, soit égale aux 2/3 de celui-ci.

L'assuré et ses ayants droit ont droit aux prestations en nature de l'assurance maladie-maternité ; ces prestations sont servies sur la base des dépenses réelles dans la limite des tarifs français de remboursement. Elles sont également servies et prises en charge par la **Caisse des Français de l'étranger** lorsque les soins sont dispensés **lors des séjours supérieurs à 3 mois et inférieurs à 6 mois en France** des adhérents à l'assurance volontaire à la condition que les intéressés n'aient pas droit, à un titre quelconque, à ces prestations sur le territoire français, moyennant le versement d'une cotisation supplémentaire de 2 %.

Pendant leurs séjours en France **inférieurs à trois mois,** les assurés volontaires ont droit aux prestations du régime des expatriés, sous réserve de s'acquitter du paiement des cotisations dues.

Les catégories diverses d'assurés volontaires conservent leur droit aux prestations de l'assurance volontaire pendant une durée de **trois mois** à compter du premier jour de résidence en France sous réserve que les assurés aient tenu informée la Caisse des Français de l'étranger de **leur retour définitif en France.**

N.B. : En fonction de votre situation sociale ou financière, la **Caisse des Français de l'étranger** peut vous servir, sur votre demande, des prestations supplémentaires ou des secours sur son **fonds d'action sanitaire et sociale.**

---

2. Mères de famille et femmes chargées de famille

Les mères de famille et les femmes chargées de famille, de nationalité française, résidant à l'étranger et ne relevant pas d'un régime de sécurité sociale peuvent s'assurer volontairement à **l'assurance vieillesse et à l'assurance veuvage,** à la condition qu'elles se consacrent à l'éducation d'au moins un enfant à la charge de leur foyer, âgé de moins de 20 ans.

L'immatriculation est effectuée à la demande des intéressées par la :

Caisse des Français de l'étranger
Rubelles, 77951 Maincy Cedex
Tél. : (1) 60.68.01.62.

Le montant de la cotisation vieillesse est fixé trimestriellement en fonction d'une assiette forfaitaire égale à 520 fois le montant du SMIC en vigueur au 1er janvier (taux horaire du SMIC au 1er janvier 1987 : 26,92 F). Son taux est de 14,70 % depuis le 1er octobre 1986.

Le taux de cotisation d'assurance veuvage est fixé à 0,10 % et inclus dans les 14,70 %.

4.E. les aides accordées aux personnes âgées, aux personnes handicapées, et aux rapatriés

Si vous êtes âgé (e) d'au moins 65 ans (ou 60 ans en cas d'inaptitude au travail) et ne disposez pas de ressources suffisantes, vous pouvez recevoir une allocation de solidarité, identique dans son principe au « minimum-vieillesse » métropolitain.

— La demande doit être adressée au consulat de la circonscription de votre résidence. Elle sera examinée par **le comité consulaire pour la protection et l'action sociale** (CCPAS).

Si vous êtes handicapé(e) et si votre taux d'incapacité atteint 80 %, vous pouvez obtenir une carte d'invalidité.

— La demande sera adressée par l'intermédiaire du consulat, pour les adultes, à la commission technique d'orientation et de reclassement professionnel (COTO-REP) et, pour les enfants, à la commission départementale d'éducation spéciale (CDES) compétente.

Cette carte donne droit, sous certaines conditions de ressources, à une allocation adulte handicapé.

Les enfants handicapés peuvent également percevoir une allocation, si leur taux d'incapacité atteint au moins 50 %.

Il existe d'autre part :

Le Comité d'entraide aux Français rapatriés

27, rue Damesme, 75013 Paris
Tél. : (1) 45.89.89.69.

Association de la loi de 1901 conventionnée par le ministère des affaires étrangères et le ministère des affaires sociales, il accueille, héberge et reclasse les Français rapatriés de leur pays de résidence.

Cette association possède un centre d'accueil (à Vaujours, Seine-Saint-Denis) et des centres d'hébergement et de réinsertion.

Il peut attribuer aux rapatriés en difficulté temporaire des aides ponctuelles, dites en « milieu ouvert », adaptées à leur cas (secours, soins médicaux urgents et transports sanitaires, transports pour rejoindre les familles ou le lieu d'emploi, avances remboursables, informations).

Il accueille les personnes âgées en établissements spécialisés : pour les valides, foyer-résidence d'Evry (Essonne) et pour les valides et semi-valides, maison des Brullys, Vulaines-sur-Seine (Seine-et-Marne).

L'Association pour le mieux-être des retraités (APMER)

49, rue des Renaudes, 75017 Paris
Tél. : (1) 43.80.19.35.

Créée en 1972, elle s'est donné pour but de participer avec d'autres associations à des actions visant à améliorer le sort des personnes âgées.

Elle donne des conseils juridiques et sociaux aux retraités et pré-retraités. Elle leur propose des orientations vers des « activités bénévoles ».

L'action de l'APMER se poursuit en régions par des implantations à Bordeaux, Lyon, Marseille, Nantes, Nice, Toulouse ainsi que par deux antennes en région parisienne, à Neuilly-sur-Seine et Saint-Cloud.

4.F. la protection contre la perte d'emploi

Si vous êtes **fonctionnaire** titulaire, vous obtiendrez un poste à votre retour ; par contre, si vous êtes **contractuel** au titre de la coopération, vous bénéficierez des mêmes allocations que les anciens salariés du secteur privé, ou de l'allocation d'insertion (aide financée sur fonds publics), suivant votre statut et sous réserve de remplir les conditions requises.

Les salariés détachés

Les salariés détachés au sens de la sécurité sociale ainsi que les cadres continuant à dépendre du régime de retraite des cadres, qui effectuent hors de France une mission confiée par une entreprise relevant du régime d'assurance chômage, restent soumis à ce régime à titre obligatoire. Votre employeur doit continuer à verser les cotisations, dans les mêmes conditions que pour tout le personnel, à l'ASSEDIC territorialement compétente. Les travailleurs détachés peuvent prétendre au bénéfice des prestations de chômage sous réserve d'être inscrits comme demandeurs d'emploi en France.

Les salariés non détachés (accords internationaux)

Certains accords ont été signés par la France en matière de chômage (règlements CEE, convention franco-suédoise, convention franco-suisse d'assurance chômage).

Les règlements communautaires permettent en particulier au chômeur de se rendre dans un ou plusieurs autres Etats membres de la CEE pour y chercher un emploi, tout en conservant ses droits à prestations, sous réserve :

— avant le départ, d'avoir été inscrit comme demandeur d'emploi, d'être resté à la disposition des services de l'emploi de l'Etat compétent pendant au moins 4 semaines après le début du chômage et d'en avoir demandé l'autorisation à l'institution locale compétente (formulaire E 303) ;

— de s'inscrire comme demandeur d'emploi auprès des services de l'emploi de chacun des Etats membres où il se rend et de se soumettre au contrôle qui y est organisé.

Le droit aux prestations est maintenu pendant une période de **3 mois** au maximum à compter de la date à laquelle l'intéressé a cessé d'être à la disposition des services de l'emploi de l'Etat qu'il a quitté, sans que la durée totale de l'octroi des prestations puisse excéder la durée des prestations à laquelle il a droit en vertu de la législation dudit Etat.

Les salariés expatriés

Si vous ne vous trouvez pas dans un cadre conventionnel (voir ci-dessus), **vous pouvez bénéficier des prestations de chômage,** en cas de perte d'emploi, lors de votre retour en France :

1. si votre employeur vous a affilié au **Groupement des ASSEDIC de la région parisienne (GARP) dit « Caisse de chômage des expatriés »,** 126, rue Jules Guesde, 92300 Levallois-Perret, tél. : (1) 47.39.33.50.
2. ou si, à défaut, vous avez adhéré **individuellement** à ce régime.

1. Adhésion de l'entreprise au GARP

a. Elle est obligatoire pour les salariés français expatriés ayant conclu un contrat de travail avec une entreprise située en France

— *Conditions à remplir*

Le droit aux allocations est réservé aux salariés justifiant du versement de contributions pour leur compte au titre d'au moins **182 jours ou 1 014 heures** de travail, pendant les **12 mois** précédant la fin du contrat de travail.

— *Délai de forclusion*

Les droits aux indemnités de chômage acquis au cours d'une période de travail ayant donné lieu au versement de contributions au régime d'assurance chômage sont préservés pendant **12 mois.**

— *Période de référence, salaire de référence et point de départ*

Des règles particulières sont suivies concernant :
— la période de référence prise en considération pour déterminer le salaire de référence ;
— le point de départ du versement des allocations.

b. Adhésion facultative pour les salariés expatriés employés par une entreprise de droit local

Les travailleurs employés hors de France par une entreprise de droit local ne participent pas de plein droit au régime d'assurance chômage. Toutefois, leurs employeurs ont la possibilité de demander à les faire bénéficier de ce régime s'il s'agit, bien entendu, de personnes qui ne sont pas employées dans un Etat membre de la CEE, en Suède ou en Suisse.

— *Entreprises susceptibles d'être admises au régime d'assurance chômage*

Il doit s'agir d'entreprises privées, d'entreprises assimilables à des sociétés d'économie mixte ou à des établissements publics à caractère industriel et commercial, d'entreprises ayant une personnalité juridique distincte d'une collectivité publique et exerçant une activité qui relèverait en France du régime d'assurance chômage.

— *Obligations des entreprises*

La demande doit concerner la totalité des salariés expatriés de l'entreprise, cadres et non cadres, y compris les salariés français engagés localement n'ayant pas le statut d'expatrié.

— Contributions

Elles sont calculées soit sur les appointements réellement perçus convertis en francs français, soit après accord de la majorité des salariés, sur les appointements qui seraient perçus en France pour des fonctions correspondantes ; cette dernière option ne peut s'exercer qu'au moment de l'affiliation et à titre définitif. Le taux des contributions est de 6,58 % + 0,50 % sur la partie dépassant le plafond.

— Conditions à remplir

Le droit aux allocations est réservé aux salariés justifiant du versement de contributions pour leur compte au titre d'au moins **365 jours**. Cette condition est recherchée dans la période de **2 ans** précédant la date à laquelle s'est produite la fin du contrat de travail.

En ce qui concerne **le délai de forclusion, le salaire de référence et la période de référence,** cf. (a) Adhésion obligatoire.

2. Adhésion individuelle

Certains salariés non couverts contre le risque de perte d'emploi par leur employeur, ont la possibilité de bénéficier des dispositions du régime d'assurance chômage, en adhérant à titre individuel :

— les travailleurs français employés par une entreprise située à l'étranger mais dont l'activité entre dans le champ d'application professionnelle du régime ;

— les travailleurs français employés dans une ambassade, un consulat ou un organisme international situé en France ;

— les travailleurs français employés dans une ambassade, un consulat ou un organisme international situé à l'étranger. En ce qui concerne le personnel de nationalité française employé à l'étranger par une ambassade, un consulat ou un organisme international, seule l'adhésion individuelle est possible.

Délai

La demande d'adhésion doit être présentée auprès du GARP avant la date d'embauche ou dans les **6 mois** suivant celle-ci. Elle doit être formulée à une date où le contrat de travail avec l'employeur demeure en vigueur et où l'intéressé est toujours en fonction dans l'entreprise ou l'organisme.

Si pour un motif valable, ce délai n'a pu être respecté, vous disposez d'un deuxième délai de **6 mois** pour formuler un recours auprès de la Commission paritaire du GARP — service des expatriés — en présentant les justificatifs nécessaires. Mais vous perdrez définitivement votre droit à l'affiliation si vous attendez plus de **12 mois** après votre expatriation. Vous avez donc intérêt à prendre contact avec le GARP avant votre départ.

Contributions

Les cotisations sont calculées en appliquant le taux fixé par le conseil d'administration de l'UNEDIC (6,58 % + 0,50 % sur la partie dépassant le plafond) au salaire brut réel de l'intéressé.

Conditions d'attribution des allocations

Le droit aux allocations est réservé aux salariés justifiant du versement de contributions pour leur compte au titre d'au moins **365 jours**. Cette condition est recherchée dans la période de **2 ans** précédant la date à laquelle s'est produite la fin du contrat de travail.

En ce qui concerne **le délai de forclusion, le salaire de référence et la période de référence** cf. (a) adhésion obligatoire.

N.B. : Dans tous les cas, il faut, pour pouvoir bénéficier des allocations de chômage, être inscrit comme demandeur d'emploi.

Prestations servies

Les travailleurs expatriés ayant adhéré au GARP à titre obligatoire ou facultatif peuvent bénéficier de l'allocation de base, de l'allocation de base exceptionnelle, de l'allocation de fin de droits et de l'allocation de solidarité spécifique.

– Allocation de base

Accordée en cas de licenciement ordinaire, de fin de contrat à durée déterminée ou de démission pour motif légitime, l'allocation journalière de base comprend une partie fixe (44,66 F) plus une partie proportionnelle en pourcentage du salaire journalier moyen de référence (40 %). Son montant est compris entre un minimum de 107,61 F et de 57 % du salaire journalier de référence, et un maximum représentant 75 % du salaire journalier de référence. La durée d'attribution et de prolongation éventuelle varie suivant l'âge et la durée du travail avant la fin du contrat.

– Allocation de base exceptionnelle

Elle est réservée aux salariés expatriés ayant conclu un contrat de travail avec une entreprise située en France et qui n'ont pas droit à l'allocation de base normale.

Elle est accordée en cas d'activité salariée de 3 à 6 mois accomplie au cours des 12 derniers mois. Elle est constituée d'une partie fixe de 33,49 F (au 1.10.1986) et d'une partie proportionnelle égale à 30 % du salaire journalier moyen de référence : le montant de l'allocation ne peut être inférieur à 80,58 F par jour (au 1.10.1986), ni supérieur à 56,25 % du salaire journalier de référence.

– Allocation de fin de droits

Elle est servie après la fin d'indemnisation au titre de l'allocation de base (ou de sa prolongation éventuelle). Son montant journalier s'élève à 44,66 F. La durée d'attribution et de prolongation éventuelle varie en fonction de l'âge et de la durée de travail préalable à la fin du contrat.

– Allocation de solidarité spécifique

Elle peut être accordée, sous certaines conditions d'activité salariée et de ressources, aux travailleurs privés d'emploi ayant épuisé les durées d'indemnisation au titre de l'assurance chômage.

N.B. : Un chômeur régulièrement inscrit au chômage (ANPE) peut demander à bénéficier des stages rémunérés du Fonds national de l'emploi, même s'il n'est pas couvert par les ASSEDIC.

Enfin, **les travailleurs salariés expatriés** non couverts par le régime d'assurance chômage, sous réserve qu'ils justifient d'une durée de travail de 182 jours au cours des 12 mois précédant la fin de leur contrat de travail, peuvent obtenir *l'allocation d'insertion* (financée sur fonds publics) par périodes de 6 mois (pour un an maximum).

Les **rapatriés** ne pouvant bénéficier des allocations de base ainsi que les **femmes veuves, divorcées, séparées judiciairement ou célibataires ayant au moins un enfant à charge,** peuvent également obtenir, sous certaines conditions, *l'allocation d'insertion.*

Autres droits

— *Soins de santé*

Si vous étiez détaché au sens de la sécurité sociale, vous bénéficierez de l'assurance maladie-maternité-invalidité-décès pendant toute la durée de votre indemnisation par les ASSEDIC et d'une prolongation automatique et gratuite de vos droits pendant **12 mois**, à compter du jour où vous cesserez d'être indemnisé.

Si vous percevez, à quelque titre que ce soit, une allocation de chômage, vous bénéficierez des prestations de la sécurité sociale pendant la durée de votre indemnisation et d'une prolongation automatique et gratuite de vos droits pendant 12 mois à compter du jour où vous cesserez d'être indemnisé.

Si vous ne percevez aucune allocation de chômage :

a. Vous étiez détaché au sens de la sécurité sociale : vos droits aux prestations de l'assurance maladie-maternité-invalidité-décès seront maintenus pendant 12 mois.

b. Vous aviez adhéré à l'assurance volontaire maladie-maternité-invalidité des salariés expatriés : vos droits seront maintenus pendant 3 mois seulement sauf en cas d'affection médicalement constatée vous interdisant une reprise d'activité.

c. Vous avez la qualité d'ayant droit d'un assuré : vous bénéficierez des prestations en nature de l'assurance maladie-maternité du régime d'affiliation de cet assuré.

Dans tous les cas, renseignez-vous auprès de la Caisse d'assurance maladie dont vous relevez, dès votre retour en France.

Enfin, une cotisation de 1 % sur les allocations de chômage supérieures au SMIC est due.

— *Vieillesse et retraite complémentaire*

Les périodes d'assurance chômage peuvent être validées par la Caisse d'assurance vieillesse et par l'organisme de retraite complémentaire des intéressés. Renseignez-vous auprès de ces organismes.

5

LA FISCALITÉ

Votre situation au regard de l'impôt sur le revenu varie selon le pays étranger où vous résidez.

Si la France a conclu une convention fiscale avec ce pays, votre imposition dépendra des modalités prévues par ce texte.

A défaut de convention, vous serez imposé en France ou à l'étranger, en fonction de votre « domicile fiscal » déterminé au vu de différents critères du droit interne (lieu du séjour principal, centre des intérêts économiques...).

5.A. il existe une convention fiscale

L'objet des **conventions fiscales** est d'éviter la double imposition, c'est-à-dire d'éviter que vous soyez imposé à la fois en France et à l'étranger sur les mêmes revenus.

La convention définit les conditions et les modalités de votre imposition sur le revenu. Elle détermine l'**Etat** qui aura le droit d'imposer, selon leur nature, les revenus dont vous disposez.

Liste des pays et territoires avec lesquels la France a passé une convention fiscale :

● Algérie, Allemagne (République fédérale d'), Arabie Saoudite, Argentine, Australie, Autriche, Belgique, Bénin, Brésil, Bourkina, Cameroun, Canada, Centrafrique, Chine, Chypre, Comores, Congo, Corée du Sud, Côte d'Ivoire, Danemark, Egypte, Espagne, Etats-Unis, Finlande, Gabon, Grèce, Hongrie, Inde, Indonésie, Iran, Irlande, Israël, Italie, Japon, Jordanie, Koweït, Liban, Luxembourg, Madagascar, Malaisie, Malawi, Mali, Malte, Maroc, Ile Maurice, Mauritanie, Mayotte, Niger, Norvège, Nouvelle-Calédonie, Nouvelle-Zélande, Pakistan, Pays-Bas, Philippines, Pologne, Polynésie française, Portugal, Roumanie, Royaume-Uni, Sénégal, Singapour, Sri Lanka, Suède, Suisse, Tchécoslovaquie, Thaïlande, Togo, Tunisie, Yougoslavie, Zambie.

Les **traités de réciprocité** ont un objectif plus restreint, de nature économique, mais pas essentiellement fiscale.

Liste des pays avec lesquels la France a conclu un traité de réciprocité, autre qu'une convention fiscale :

● Andorre, Bolivie, Chili, Colombie, Costa-Rica, Cuba, Dominicaine (République), Equateur, Guatémala, Haïti, Honduras, Libéria, Mascate, Mexique, Monaco, Nicaragua, Panama, Paraguay, Pérou, Saint-Marin, Syrie, Turquie, Vénézuela, Zaïre.

---

5. LA FISCALITE

Vous pouvez prendre connaissance du texte de la convention ou du traité qui vous intéresse auprès de l'**ambassade** ou du **consulat de France** dans le pays concerné ; en France, ces conventions et ces traités, publiés par le *Journal Officiel*, peuvent être acquis à l'adresse suivante :

Journaux officiels
26, rue Desaix, 75727 Paris Cedex 15
Tél. : (1) 45.78.61.39 ou 45.75.62.31.

5.B. il n'existe pas de convention fiscale

Votre régime d'imposition est conditionné par le lieu de votre domicile fiscal.

1. Votre domicile fiscal est en France

La définition

Vous êtes considéré comme étant domicilié en France et imposable dans ce pays pour la totalité de vos revenus selon le droit commun :

— *si vous n'êtes pas agent de l'Etat,* lorsque vous remplissez l'une des trois conditions suivantes :

• vous y exercez, à titre principal, une activité professionnelle salariée ou non salariée ;

• vous y avez le centre de vos intérêts économiques : par exemple, le siège de vos affaires est en France, ou vous réalisez dans ce pays l'essentiel de vos investissements, ou bien vos revenus proviennent en majeure partie de ce pays ;

• vous y avez votre foyer ou le lieu de votre séjour principal (en général, si vous résidez en France plus de six mois au cours d'une année).

— *si vous êtes agent de l'Etat* et lorsque vous exercez vos fonctions hors de France dans un pays où vous n'êtes pas soumis à un impôt personnel sur l'ensemble de vos revenus, même si vous n'avez pas conservé en France votre foyer.

Les cas d'exonération

• *Vous êtes envoyé à l'étranger par un employeur établi en France et vous payez un impôt sur le revenu à l'étranger*

Votre rémunération est exonérée d'impôt en France si vous justifiez qu'elle a été soumise à l'étranger à un impôt égal au moins aux deux tiers de celui que vous auriez payé en France sur un revenu identique.

• *Vous avez séjourné plus de 6 mois (183 jours) à l'étranger au cours d'une période de 12 mois consécutifs, et vous exercez l'une des activités suivantes :*

— chantiers de construction ou de montage, installation ou mise en route et exploitation d'ensembles industriels, prospection et ingénierie s'y rapportant,
— prospection, recherche ou extraction de ressources naturelles.

Vous êtes exonéré d'impôt en France sur le montant de votre rémunération, sans avoir à justifier d'une imposition de ce revenu à l'étranger.

N.B. : Ces exonérations ne concernent que les revenus salariés rémunérant votre activité à l'étranger.

Lorsque des exonérations totales ne peuvent pas s'appliquer, les suppléments de rémunération liés à l'expatriation, qui n'auraient pas été perçus si vous étiez resté en France, sont exonérés d'impôt.

Le lieu de déclaration

Vous devez adresser votre déclaration annuelle de revenus **au centre des impôts du lieu de votre domicile en France.**

Toutefois :

— *si vous êtes un agent de l'Etat en service hors de France ou un fonctionnaire de la CEE,* vous devez adresser la déclaration de vos revenus au :

Centre des Impôts des fonctionnaires et agents de l'Etat en service hors de France
9, rue d'Uzès, 75094 Paris Cedex 02
Tél. : (1) 42.36.02.33 ;

— *si vous exercez en France une activité non salariée,* adressez, en outre, la déclaration des résultats de votre activité au centre des impôts dont dépend le siège de votre entreprise, ou à défaut :

— le lieu d'exercice de votre profession,
   ou
— le lieu de votre principal établissement.

L'établissement de l'impôt

L'impôt sera établi d'après votre déclaration, en appliquant le barème progressif et le quotient familial.

Si vous êtes exonéré d'impôt en France à raison du traitement ou du salaire que vous percevez, vous serez soumis, pour vos autres revenus imposables en France, à la règle du **« taux effectif »**. En effet, afin de maintenir la progressivité de l'impôt, les revenus exonérés (sauf les suppléments de rémunération liés à l'expatriation) sont pris en compte pour la détermination du taux applicable aux autres revenus.

Le paiement

Vous devez régler le montant de votre imposition à votre percepteur habituel.

Toutefois :

— les militaires servant dans les Etats africains et malgache, et les fonctionnaires de la CEE doivent s'acquitter de leur imposition à la :
Trésorerie principale du 5ᵉ arrondissement

2ᵉ division
31, rue Censier, 75005 Paris
Tél. : (1) 45.70.90.35.

— les autres agents de l'Etat en service à l'étranger à la :
Trésorerie principale du 4ᵉ arrondissement
99, rue de la Verrerie, 75181 Paris Cedex 04
Tél. : (1) 42.72.86.31.

2. Votre domicile fiscal est à l'étranger

La définition

Vous êtes considéré comme domicilié hors de France si vous ne remplissez aucune des conditions exposées page 92. Toutefois, vous restez imposable en France dans certains cas.

Les cas d'imposition en France

● *Vos revenus de source française sont imposables en France*

Il faut entendre par « revenus de source française » les revenus :
— provenant de l'exercice d'une activité professionnelle en France (qu'il s'agisse d'une activité salariée ou non salariée),
   ou
— tirés de l'exploitation ou de la disposition de biens situés en France,
   ou
— versés par un débiteur domicilié en France.

● *Si vous disposez d'une ou plusieurs habitations en France,* vous êtes imposable d'après une base forfaitaire **qui ne peut être inférieure à trois fois la valeur locative de cette ou de ces habitations.**

La disposition d'une habitation signifie avoir la jouissance, directe ou indirecte, à quelque titre que ce soit, d'un local habitable, pendant tout ou partie de l'année. Toutefois, la taxation d'après une base forfaitaire n'est pas applicable, notamment lorsque l'une des conditions suivantes est remplie :
— vos revenus de source française sont supérieurs à cette base ;
   ou
— vous êtes domicilié dans un pays ayant conclu avec la France une convention fiscale internationale (page 90) ;
— vous êtes ressortissant français ou vous êtes domicilié dans un pays ayant conclu avec la France un traité de réciprocité (page 90), autre qu'une convention fiscale :

• si vous justifiez être imposé dans le pays de votre domicile sur l'ensemble de vos revenus,

• et si cet impôt est égal aux 2/3 de celui que vous supporteriez en France pour les mêmes revenus.

Le lieu de déclaration

Vous devez adresser votre déclaration annuelle de revenus au :

Centre des impôts des non résidents
9, rue d'Uzès, 75094 Paris Cedex 02
Tél. : (1) 42.36.02.33.

Toutefois :

— *si vous êtes un agent de l'Etat en service hors de France ou un fonctionnaire de la CEE,* vous devez adresser la déclaration de vos revenus au :

Centre des impôts des fonctionnaires et agents de l'Etat en service hors de France
9, rue d'Uzès, 75094 Paris Cedex 02
Tél. : (1) 42.36.02.33 ;

— *si vous exercez en France une activité non salariée,* adressez, en outre, la déclaration des résultats de votre activité au centre des impôts du lieu d'exercice de l'activité.

L'établissement de l'impôt

• *Certains revenus sont soumis à une retenue à la source*

— **la retenue est parfois libératoire** : par exemple, la retenue à la source sur les salaires au taux de 15 %. Dans ce cas, vous n'avez pas d'autre impôt à payer sur le salaire ayant servi de base à la retenue ;

— **la retenue peut ne pas être libératoire :** par exemple, la retenue à la source sur les salaires au taux de 25 % ; ou bien la retenue de 33,33 % sur certains revenus non salariaux. Dans ce cas, le montant de la retenue est simplement déduit de l'impôt sur vos revenus de source française.

• *Les revenus non soumis à une retenue à la source* sont imposables dans les conditions du droit commun. Toutefois, le taux d'imposition ne peut, en règle générale, être inférieur à 25 %.

• *Dans certains cas, le centre des impôts peut demander la désignation, dans les 90 jours, d'un représentant fiscal en France*

Vous pouvez désigner, à votre choix, un parent, un ami, une banque, etc.

Le paiement

Le percepteur auprès duquel vous devez régler le montant de votre imposition est la :

Trésorerie principale du 5e arrondissement
1re division
21, rue Claude-Bernard, 75231 Paris Cedex 05
Tél. : (1) 43.36.37.19.

Toutefois :

— les militaires servant dans les Etats africains et malgache, et les fonctionnaires de la CEE dépendent de la :

Trésorerie principale du 5ᵉ arrondissement
2ᵉ division
31, rue Censier, 75005 Paris
Tél. : (1) 45.70.90.35.

— les autres agents de l'Etat en service à l'étranger dépendent de la :

Trésorerie principale du 4ᵉ arrondissement
99, rue de la Verrerie, 75181 Paris Cedex 04
Tél. : (1) 42.72.86.31.

N.B. : Que vous soyez ou non domicilié en France, vous pouvez, dans certains cas, être soumis aux impôts locaux.

Pour de plus amples informations, vous pouvez :

— vous procurer le :

Guide financier des Français de l'étranger

à la Documentation française
29-31, quai Voltaire, 75340 Paris Cedex 07
Tél. : (1) 42.61.50.10.

Vente par correspondance :

124, rue Henri-Barbusse, 93308 Aubervilliers Cedex

En librairie : diffusion par Bordas, 11, rue Gossin, 92543 Montrouge Cedex, tél. : (1) 46.56.52.66 ;

ou bien, interroger, de 9 heures à 12 heures le

Centre des impôts des non résidents

ou, s'il y a lieu, le

Centre des impôts des fonctionnaires et agents de l'Etat en service hors de France.

Ces deux services sont situés :
9, rue d'Uzès, 75094 Paris Cedex 02
Tél. : (1) 42.36.02.33.

6

LA SCOLARISATION

Les conditions actuelles de scolarisation des enfants français vous offrent 3 possibilités :
— emmener vos enfants à l'étranger et les inscrire dans un établissement d'enseignement français local,
— emmener vos enfants à l'étranger et les faire bénéficier des cours du centre national d'enseignement à distance (CNED),
— laisser vos enfants en France et leur faire poursuivre leurs études dans un internat.

6.A. à l'étranger

1. L'enseignement primaire et secondaire

Les établissements français à l'étranger

Il existe à travers le monde plus de 450 établissements susceptibles de faire suivre à vos enfants un enseignement conforme aux programmes français. La plupart de ces établissements sont privés mais ils reçoivent néanmoins une aide du ministère des affaires étrangères. Ils sont placés sous le **contrôle administratif du ministère des affaires étrangères et sous le contrôle pédagogique du ministère de l'éducation nationale** qui garantit les passages de classes. La liste de ces établissements pourra vous être fournie soit :

— par le ministère des affaires étrangères :

● Direction générale des relations culturelles, scientifiques et techniques, sous-direction de l'enseignement et de la scolarisation, 23, rue La Pérouse, 75116 Paris ;

● Direction des Français à l'étranger et des Etrangers en France (DFAE), division de la scolarisation, 23, rue La Pérouse, 75116 Paris ;

● Centre d'accueil et d'information des Français à l'étranger (ACIFE), 30, rue La Pérouse, 75116 Paris ;

— par le ministère de l'éducation nationale, direction de la coopération et des relations internationales, bureau du développement de l'enseignement français à l'étranger, DCRI 18, 110, rue de Grenelle, 75007 Paris ;

— par les délégations régionales de l'ONISEP qui existent au niveau de chaque académie.

Les périodes de scolarité effectuées par les élèves de ces établissements sont assimilées à celles accomplies en France dans les établissements publics. Les décisions d'orientation prises par ces établissements en fin d'année scolaire sont donc valables de plein droit pour l'admission dans un établissement public français ou dans un autre établissement français de l'étranger.

Aucun problème de réinsertion ne se posera donc à vos enfants à leur retour en métropole.

Les cours par correspondance

Si vous résidez dans un endroit isolé, vous pourrez faire suivre à votre enfant des cours par correspondance auprès d'un des centres nationaux d'enseignement à distance (CNED).

Le CNED est un organisme officiel du ministère de l'éducation nationale qui dispense un enseignement par correspondance identique à celui qui est dispensé en France. Les passages de classes sont décidés par les professeurs du CNED et permettent l'admission des élèves concernés **dans n'importe quel établissement français, en France ou à l'étranger.**

Si votre enfant ne suit pas l'enseignement de l'un des établissements agréés par le ministère de l'éducation nationale, vous pouvez donc l'inscrire **individuellement** au CNED. Certaines écoles inscrivent **collectivement** leurs élèves aux cours du CNED, des répétiteurs s'occupant alors de les faire travailler.

Adressez-vous :

pour l'enseignement du premier degré (CP à CM2) :
Centre national d'enseignement à distance (CNED)
31051 Toulouse Cedex
Tél. : 61.41.11.71 ;

pour l'enseignement secondaire du premier cycle du second degré (6e à 3e) :
Centre national d'enseignement à distance (CNED)
3022 X, 76041 Rouen Cedex
Tél. : 35.74.16.85 ;

pour l'enseignement secondaire du second cycle du second degré (seconde à terminale) :
Centre national d'enseignement à distance (CNED)
7, rue du Clos Courtel, 35050 Rennes Cedex
Tél. : 99.63.11.88 ;

pour les enseignements techniques longs (tous bacs G et F, à l'exception de F 8) :
Centre national d'enseignement à distance (CNED)
60, boulevard du Lycée, 92171 Vanves Cedex
Tél. : (1) 45.54.95.12 ;

pour les enfants dont les familles résident dans les DOM-TOM :
Centre national d'enseignement à distance (CNED)
B.P. 3, 38040 Grenoble Cedex
Tél. : 76.46.65.02.

En outre, au moment de votre départ ou de votre retour, vous pouvez obtenir des renseignements complémentaires sur les services qu'offre le CNED en téléphonant : pour Toulouse, au 61.41.51.39 ; pour Rouen, au 35.75.58.12 ; pour Rennes, au 99.63.40.83 ; pour Vanves, les lundis et jeudis seulement, au (1) 45.54.48.87.

Le coût de la scolarité

La scolarité demeure payante. Des subventions de fonctionnement et d'équipement sont accordées aux établissements français à l'étranger par les ministères des affaires étrangères, et de l'éducation nationale.

Les aides financières ne couvrent cependant pas la totalité des frais.

Vous pouvez obtenir des bourses d'études qui assureront la prise en charge partielle ou totale des frais de scolarité, si vous êtes immatriculé au consulat, si vos ressources ne dépassent pas un certain plafond, et si vos enfants sont inscrits dans un établissement reconnu par le ministère de l'éducation nationale. Les demandes de bourses doivent être déposées au consulat.

Adressez-vous pour tout renseignement à la :

Direction des Français à l'étranger et des Etrangers en France
Division de la scolarisation
Ministère des affaires étrangères
23, rue La Pérouse, 75116 Paris
Tél. : (1) 45.02.14.23, poste 51 97 ou 52 78.

N.B. : **N'oubliez pas,** lorsque vous aurez fixé la date de votre départ à l'étranger ou de votre retour en France, qu'il vous appartiendra d'accomplir, si possible plusieurs mois avant la date de la rentrée scolaire, les formalités d'inscription de vos enfants dans les établissements de votre choix.

L'organisation des épreuves du baccalauréat à l'étranger

Il est possible de se présenter aux épreuves du baccalauréat lorsque l'on réside à l'étranger. 58 centres d'examen fonctionnent à travers le monde tout en étant rattachés à une académie métropolitaine. Un ou plusieurs jurys sont constitués localement conformément à la réglementation française et les diplômes sont délivrés par le recteur de l'académie de rattachement.

La liste des centres d'examens figure en fin de chapitre (page 103).

2. L'enseignement supérieur

Le Centre national d'enseignement à distance (CNED) et le Centre de télé-enseignement universitaire (CTU) permettent de suivre certaines formations universitaires par correspondance.

L'inscription au CTU ne dispense pas de l'inscription universitaire.

Renseignez-vous au :

Centre national de l'enseignement à distance (CNED)
ou au ministère de l'éducation nationale
bureau de l'information et de l'orientation
61, rue Dutot, 75732 Paris Cedex 15
Tél. : (1) 45.39.25.75, poste 32 70 ou 37 47.

6.B. en France

1. Les établissements scolaires publics pourvus d'un internat

Deux établissements scolaires publics pourvus d'un internat ouvert tout au long de l'année scolaire, sont actuellement susceptibles d'accueillir les enfants dont les familles devant séjourner à l'étranger souhaiteraient qu'ils poursuivent leurs études en France. Ces deux établissements sont :

Le lycée d'Etat mixte Bernard-Palissy
164, boulevard de la Liberté, 47000 Agen
Tél. : 53.66.03.89 et 53.66.58.18.
(à partir de la classe de troisième seulement)

Le complexe scolaire et culturel de Valbonne Sophia Antipolis
06565 Valbonne Cedex, tél. : 93.33.91.91.

En ce qui concerne les élèves français de l'étranger inscrits dans les classes préparatoires, des facilités leur sont offertes à l'internat du lycée Henri-IV à Paris (garçons) et au foyer des lycéennes (filles).

● **Lycée Henri IV**
23, rue Clovis, 75231 Paris Cedex 05
Tél. : (1) 46.34.02.20.

● **Foyer des Lycéennes**
10, rue du Docteur-Blanche, 75016 Paris
Tél. : (1) 42.88.81.95.

La liste des établissements scolaires possédant des classes préparatoires paraît chaque année au Bulletin officiel de l'éducation nationale. Les services culturels français à l'étranger pourront vous la communiquer.

D'une manière générale, pour l'inscription dans une classe préparatoire, il convient de s'adresser au proviseur de l'établissement choisi : celui-ci examine les dossiers de candidature sur la base de critères pédagogiques. Les formulaires de demande d'admission en classe de 1re année préparatoire aux grandes écoles sont à demander auprès des services culturels.

2. Les établissements scolaires privés pourvus d'un internat

Ces établissements prévoient des internats permanents et certains assurent la garde des enfants en dehors des périodes scolaires.

Pour obtenir la liste de ces établissements, adressez-vous au :

Centre national de documentation sur l'enseignement privé (CNDEP) 20, rue Fabert, 75007 Paris
Tél. : (1) 47.05.32.68.

Sachez que :

Les études de médecine, pharmacie et chirurgie dentaire doivent obligatoirement être commencées en France, car l'examen de fin de première année est un concours. Le succès à ce concours est nécessaire à la poursuite des études ; aucune équivalence n'existe donc qui permette de commencer ces études à l'étranger et de les poursuivre ultérieurement en France.

La couverture du risque maladie des enfants scolarisés en France

Les enfants scolarisés continuent de bénéficier de la couverture de la sécurité sociale pour le risque maladie, dans les conditions suivantes :

a. **le chef de famille** est détaché ou salarié dans un des pays ayant conclu avec la France une convention de sécurité sociale prévoyant la couverture maladie des ayants droit en France (voir page 62) ou il a adhéré à l'assurance volontaire maladie de la sécurité sociale (voir page 67).

b. **le chef de famille ne remplit pas l'une de ces conditions :**
– la mère restée en France est **salariée** ;
– la mère n'étant pas salariée, a adhéré à **l'assurance volontaire maladie** de la sécurité sociale ;
– chaque enfant a adhéré à **l'assurance volontaire maladie** de la sécurité sociale (sauf s'il est inscrit dans une faculté ou un établissement d'enseignement supérieur, car il est alors couvert par le régime de sécurité sociale des étudiants).

Baccalauréat français à l'étranger :
Centres d'examens rattachés à des académies métropolitaines.

Tableau de rattachement des centres de baccalauréat
de l'enseignement du second degré ouverts à l'étranger

Groupes	Académies	Pays
I	AIX-MARSEILLE	Ile Maurice — Algérie — Madagascar — Johannesburg (1)
	BORDEAUX	Sénégal — Maroc
	GRENOBLE	Italie — Turquie — Koweït — Bagdad (1) — Abou-Dhabi
	LYON	Israël — Ethiopie — Egypte — Liban — Syrie
	NANTES	Burundi — Mauritanie — Cameroun — Zaïre — République Centrafricaine — Togo
	NICE	Bourkina — Congo — Niger — Côte-d'Ivoire
	PARIS	Tunisie — Grèce
	TOULOUSE	Espagne — Portugal
II	LILLE	Belgique — Grande-Bretagne — Pays-Bas
	NANCY-METZ	Trèves (R.F.A.)
	STRASBOURG	R.F.A. (à l'exception de Trèves) — Suède (1) — Danemark — Varsovie (1) — Vienne
III	ANTILLES-GUYANE	Mexique - Haïti — Vénézuela — Equateur — Colombie — Brasilia (1)
	CAEN	Canada — U.S.A.
	MONTPELLIER	Japon — Hong Kong — Singapour — Canberra (1)
	POITIERS	Argentine — Brésil (sauf Brasilia) — Chili — Pérou — Uruguay — Bolivie (1)
	RENNES	Inde

(1) **Uniquement centre d'épreuves anticipées de français.**

7

LE RETOUR

7.A. les formalités avant le départ de l'étranger

De la même façon que vous avez dû, à votre arrivée dans votre nouveau pays de résidence, accomplir certaines démarches auprès des administrations locales et du consulat, **vous devez avant votre départ régulariser votre situation au regard des réglementations locale et française.**

Le déménagement

Le déménageur ou le transitaire local que vous aurez chargé, après examen d'un devis estimatif, du transport de votre mobilier, vous demandera d'établir **l'inventaire détaillé** de votre mobilier et de vos effets personnels. **Une attestation de changement de résidence** est souvent réclamée pour autoriser le transit en douane au départ. Si les autorités locales ne peuvent vous délivrer ce document, adressez-vous au consulat de France.

N.B. : **N'oubliez pas** que la production d'un quitus fiscal ou bordereau de situation peut être exigée par les autorités administratives locales.

Entrée en France

Vous pouvez importer **en franchise de droits et taxes,** le mobilier, les objets et les effets personnels en cours d'usage qui sont votre propriété.

Ces biens doivent avoir été acquis aux conditions générales d'imposition du marché intérieur, c'est-à-dire avoir supporté les charges fiscales et/ou douanières.

Les conditions sont différentes selon que votre résidence antérieure était située dans un pays membre de la CEE ou dans un pays tiers :

1. Vous venez d'un pays membre de la CEE. **Vous devez avoir utilisé ces biens à titre privé depuis au moins trois mois (six mois pour les moyens de transport). Vous pouvez en outre importer en franchise une habitation transportable.**

2. Vous venez d'un pays n'appartenant pas à la CEE. **Vous devez avoir utilisé ces biens à titre privé depuis au moins six mois. Vous devez avoir séjourné douze mois au moins à l'étranger.**

Vous devez remettre au service des douanes :
- un certificat de changement de résidence ou tout autre document probant ;
- un inventaire détaillé et estimatif (en deux exemplaires) ;
- une justification d'achat toutes taxes comprises des moyens de transport ;
- dans le cas où vous possédez des biens de valeur ou des véhicules, un formulaire que vous remettra le service des douanes.

Les biens admis en franchise ne peuvent être cédés, loués ou prêtés pendant les douze mois suivant leur importation en franchise.

Vous devez savoir que des règles particulières s'appliquent :
- à l'importation d'or monétaire,
- aux articles contenant de l'or,
- à l'introduction d'armes,
- aux animaux familiers.

N.B. : Si vous n'avez effectué à l'étranger qu'un séjour temporaire à durée déterminée, d'une durée inférieure à 12 mois, en tant, par exemple, que stagiaire civil ou militaire, vous ne bénéficierez que des franchises octroyées aux voyageurs.

Le contrôle des changes

Quelle qu'ait été la durée de votre séjour à l'étranger, au moment de redevenir résident en France, vous devez régler votre situation au regard de la réglementation sur les comptes bancaires en clôturant dans un délai de 6 mois, si vous en êtes titulaire, votre compte en francs convertibles ou étranger en francs, ouvert dans une banque française.

Tout renseignement à ce sujet ainsi que sur les comptes ouverts à l'étranger et les fonds qui y sont déposés, peut être obtenu auprès de la Direction Générale des douanes et droits indirects, bureau de l'information et de la communication, 23 bis, rue de l'Université, 75007 PARIS, tél. : (1) 42.60.35.90, ou auprès de votre banque française.

La scolarisation

Il convient de vous préoccuper en temps utile de l'inscription de vos enfants dans les établissements scolaires en France.

Enseignement primaire : vous devez vous adresser à la mairie de la commune dans laquelle vous allez résider.

Enseignement secondaire : l'inscription dans un établissement secondaire pose davantage de problèmes compte tenu de l'éventail des formations offertes, de l'orientation proposée à la famille et de la scolarisation imposée par la carte scolaire.

Ces difficultés sont accrues dans le cas des familles françaises qui résident à l'étranger puisque celles-ci, bien souvent, ne connaissent pas toutes les possibilités d'accueil existantes.

Il est recommandé avant votre retour en France, dans le second trimestre de l'année scolaire, de prendre contact avec le chef du service académique d'information et d'orientation (CSAIO) de l'académie dans laquelle vous devez résider.

7.B. les formalités à l'arrivée en France

En arrivant en France, préoccupez-vous de vous mettre en règle pour :

Le changement d'adresse

Vous pouvez vous adresser au commissariat de police de votre domicile, ou à la mairie de votre arrondissement ou de la commune dans laquelle vous êtes domicilié, pour faire porter votre nouvelle adresse sur votre carte nationale d'identité.

La carte d'électeur

Faites-vous inscrire sur les listes électorales.

Le livret militaire

Si vous avez moins de 50 ans, vous devez signaler votre retour en France à la gendarmerie de votre domicile et présenter votre livret militaire.

L'imposition

Les modalités de l'imposition à laquelle vous serez soumis varieront en fonction de votre précédent régime fiscal, c'est-à-dire selon que vous étiez imposable en France ou à l'étranger.

Vous devez notamment :
— remplir, dans les délais habituels, la déclaration de votre revenu global et, le cas échéant, les déclarations de vos bénéfices professionnels,
— signaler votre nouvelle adresse à la perception avec laquelle vous étiez en rapport pendant votre séjour à l'étranger,
— acheter votre vignette automobile, dans le mois qui suit votre retour en apportant la preuve de la date exacte de l'entrée de votre véhicule en France.

N.B. : Pour toute information complémentaire sur les questions fiscales et douanières, reportez-vous au « Guide financier des Français de l'étranger » que vous pouvez vous procurer à la Documentation française, 29-31, quai Voltaire, 75340 Paris Cedex 07, ou par correspondance : 124, rue Henri-Barbusse, 93308 Aubervilliers Cedex.

La scolarisation

Le service académique d'information et d'orientation (CSAIO) pourra vous fournir les renseignements dont vous avez besoin, examiner les dossiers que vous lui soumettrez et facilitera vos démarches d'inscription auprès des différents établissements susceptibles d'accueillir vos enfants.

Il est recommandé de prendre le plus tôt possible l'attache des services chargés de l'affectation des élèves dans les établissements scolaires, soit à l'inspection académique du lieu de résidence (collèges), soit au rectorat (lycées).

L'enseignement universitaire

• Si vos enfants préparent ou ont obtenu antérieurement le baccalauréat français, leur admission en premier cycle dans une université française s'effectuera selon la procédure en vigueur pour les candidats métropolitains.

Toutefois, afin de faciliter vos démarches et de raccourcir les délais, un formulaire de demande de première admission en premier cycle universitaire et un formulaire de demande d'admission en institut universitaire de technologie pourront vous être fournis, soit par les services culturels français à l'étranger, soit par l'établissement scolaire que fréquentent vos enfants.

• Si vos enfants préparent le baccalauréat européen, ou le baccalauréat franco-allemand, leur admission en premier cycle universitaire s'effectuera dans les mêmes conditions que précédemment. Ces baccalauréats sont en effet valables de plein droit sur le territoire français et sont assimilés, quant aux effets, au baccalauréat français. Il en va de même pour les baccalauréats bourkinabé, gabonais, ivoirien, malien et de Djibouti.

• Si vos enfants sont scolarisés dans le système éducatif du pays où vous résidez, ils peuvent s'inscrire en premier cycle dans une université française à condition que le diplôme qu'ils préparent confère la qualification requise pour être admis dans les établissements analogues à ceux du pays où le diplôme est délivré.

Ce principe général se substitue au système antérieur des équivalences. Chaque université désormais examine les dossiers individuels des candidats et se prononce sur les candidatures en appliquant la règle ci-dessus énoncée.

N.B. : En cas de départ définitif, n'omettez pas de rendre votre carte d'immatriculation consulaire, en demandant au consulat qui vous l'a délivrée votre radiation de l'immatriculation.

Centres de renseignements téléphoniques

Centres interministériels de renseignements administratifs (CIRA)

Les **CIRA,** spécialisés dans l'information du public **par téléphone,** ont pour mission de répondre aux demandes de renseignements concernant la réglementation et la législation relevant de l'ensemble des ministères et organismes publics (administration régionale et locale, aide sociale, consommation, éducation, équipement, fiscalité, justice, santé, sécurité sociale, travail, etc.)

Centre de Bordeaux : 56.29.18.18.

Centre de Lille : 20.57.58.59.   *Centre de Metz : 87.31.91.91.*

Centre de Lyon : 78.71.70.69.   *Centre de Paris : (1) 43.46.13.46.*

Centre de Marseille : 91.26.25.25.   *Centre de Rennes : 99.33.21.21.*

Douanes :

Le Centre de renseignements des douanes : (1) 42.60.35.90.

Logement :

L'Association nationale pour l'information sur le logement (ANIL) : (1) 42.02.05.50.

Scolarisation :

Le Centre d'information et d'orientation inter-jeunes du ministère de l'éducation nationale : (1) 42.30.15.15.

Sécurité sociale :

Le Centre d'information et de renseignements de sécurité sociale : (1) 42.80.63.67.

7.C. la réinsertion professionnelle

Selon votre contrat, votre séjour à l'étranger sera plus ou moins long mais il est peu probable que votre établissement y soit définitif. Vous devez donc songer à votre **réinsertion professionnelle** à votre retour en France.

● **Il est souhaitable que vous conserviez le maximum de contacts en France avec votre milieu professionnel,** au travers des groupements professionnels (fédération, chambre syndicale, association, etc.) et au travers des bulletins, revues et supports spécialisés dans votre branche d'activité.

● **Consultez au consulat** le plus proche la documentation sur l'emploi et la formation professionnelle. Vous y trouverez des renseignements utiles sur les principaux organismes qui pourront faciliter en France votre réinsertion. Dans plusieurs pays, **les comités consulaires pour l'emploi et la formation professionnelle** pourront vous aider dans vos démarches.

● **Prenez contact avec les services de placement qui vous accompagneront dans votre recherche d'emploi ou de formation professionnelle.** Vous pourrez éventuellement bénéficier d'une allocation pour perte d'emploi et avoir accès à des stages de recyclage, de perfectionnement ou de conversion. La couverture sécurité sociale peut vous être maintenue dans certaines conditions. Administrativement, c'est l'agence locale la plus proche de votre domicile qui sera votre interlocuteur, ainsi que le bureau local des ASSEDIC. Ce dernier peut vous accorder des aides financières particulières au titre du Fonds social.

● **N'oubliez pas** de vous munir avant votre départ de l'étranger de tous les documents justifiant votre activité professionnelle (bulletins de paye, certificats de travail, attestations professionnelles, etc.). Ils seront nécessaires à l'instruction de vos différents dossiers.

● **Si vous envisagez de créer votre entreprise,** renseignez-vous auprès des services de l'**Agence nationale pour la création d'entreprise.** Vous y trouverez des possibilités de parrainage, d'assistance, d'appui technique et de formation.

● Si vous vous trouvez dans une situation sociale grave, **prenez contact avec le bureau d'aide sociale de la mairie** qui a la charge de votre quartier ou de votre commune. Des assistantes sociales pourront vous conseiller et vous aider.

Adresses utiles

Emploi et formation professionnelle

L'Agence nationale pour l'emploi (ANPE)

Direction générale – division des interventions spécifiques
53, rue du Général Leclerc, 92136 Issy-les-Moulineaux
Tél. : (1) 46.45.21.26.

L'Association pour l'emploi des cadres, ingénieurs et techniciens (APEC) *(voir page 48)*

51, boulevard Brune, 75014 Paris
Tél. : (1) 40.52.20.00.

L'Association pour l'emploi des cadres, ingénieurs et techniciens de l'agriculture (APECITA) *(voir page 49)*

1, rue du Cardinal Mercier, 75009 Paris
Tél. : (1) 48.74.93.25.

L'Association nationale pour la formation professionnelle des adultes (AFPA)

13, place de Villiers, 93108 Montreuil Cedex
Tél. : (1) 48.58.90.40.

L'Association pour la formation professionnelle française à l'étranger (AFPE) *(voir page 41)*

23, rue la Pérouse, 75116 Paris
Tél. : (1) 45.02.14.23, poste 51 89.

Création d'entreprise

L'Agence nationale pour la création d'entreprise (ANCE)

142, rue du Bac, 75007 Paris
Tél. : (1) 45.44.38.25.

Accueil

L'Union des accueils des villes françaises (AVF) (voir page 41)
Secrétariat national
20, rue du Général de Gaulle, Cosnes et Romain, 54400 Longwy
Tél. : 82.24.90.99.

Aide sociale

Le Ministère des affaires sociales et de l'emploi
Direction de l'action sociale

124, rue Sadi Carnot, 92170 Vanves
Tél. : (1) 47.65.25.00.

Le Bureau d'aide sociale de la ville de Paris

2 - 4, rue Saint Martin, 75100 Paris
Tél. : (1) 42.77.11.22.

Le Comité d'entraide aux Français rapatriés *(voir page 81)*

27, rue Damesme, 75013 Paris
Tél. : (1) 45.89.89.69.

Allocations aux travailleurs privés d'emploi (voir chapitre 4 F)

L'Union nationale interprofessionnelle pour l'emploi dans l'industrie et le commerce (UNEDIC)

77, rue Miromesnil, 75008 Paris
Tél. : (1) 42.94.22.00.

Le Groupement des ASSEDIC de la région parisienne (GARP)

126, rue Jules Guesde, 92300 Levallois-Perret
Tél. : (1) 47.39.33.50.

index

a

accidents : p. 29.

Accueil et information des Français à l'étranger (ACIFE) : p. 15-16.

actes notariés : p. 26.

Agence nationale pour la création d'entreprise (ANCE) : p. 112.

Agence nationale pour l'emploi (ANPE) : p. 47-48-111.

aides sociales : p. 28-81-112.

Alliance française : p. 37.

Alliance israélite universelle : p. 37.

ambassade : p. 20.

anciens combattants : p. 40.

arrestation : p. 29.

associations : p. 36 à 41.

associations de coopération volontaire (ONG) : p. 52 à 54.

Association démocratique des Français à l'étranger (ADFE) : p. 36.

Association française des experts de la coopération technique internationale (AFECTI) : p. 51.

Association française de formation, coopération, promotion et animation d'entreprise (AFCOPA) : p. 52.

Association française des volontaires du progrès (AFVP) : p. 52.

Association nationale des écoles françaises à l'étranger (ANEFE) : p. 37.

Association nationale pour la formation professionnelle des adultes (AFPA) : p. 112.

Association nationale pour l'information sur le logement (ANIL) : p. 110.

Association pour l'emploi des cadres, ingénieurs et techniciens (APEC) : p. 48-112.

Association pour l'emploi des cadres, ingénieurs et techniciens de l'agriculture (APECITA) : p. 49-112.

Association pour la formation professionnelle française à l'étranger (AFPE) : p. 41-112.

Association pour le mieux-être des retraités (APMER) : p. 82.

assurance veuvage : p. 69-70-75-80.

assurances volontaires : p. 67 à 70, 74 à 80, 87.

Aumônerie générale des Français hors de France : p. 38.

b

baccalauréat : p. 100-103.

bénévolat : p. 52 à 54.

bourses scolaires : p. 28-100.

c

Caisse des Français de l'étranger : p. 68 à 70, 74 à 80.

Caisse de retraites des expatriés (CRE-IRCAFEX-IRICASE) : p. 71-76.

Caisse nationale d'assurance vieillesse des travailleurs salariés : p. 70.

carte d'immatriculation consulaire : p. 21-22-109.

carte nationale d'identité : p. 22.

C.E.E. (emploi) : p. 47-48.

chimioprophylaxie : p. 56-57.

Centre français du commerce extérieur (CFCE) : p. 16.

Centre des impôts des non-résidents : p. 95-96.

Centre d'information et de Documentation Jeunesse (CIDJ) : p. 16-53.

Centre d'information et de formation des agents en coopération et à l'étranger (CIFACE) : p. 16.

Centres interministériels de renseignements administratifs (CIRA) : p. 110.

Centre national de documentation sur l'enseignement privé (CNDEP) : p. 102.

Centre national d'enseignement à distance (CNED) : p. 99-100.

Centre national du volontariat (CNV) : p. 53.

Centres de renseignements téléphoniques : p. 110.

Centre de sécurité sociale des travailleurs migrants : p. 62-64-73-74-77.

Centre technique forestier tropical (CTFT/CIRAD) : p. 49.

certificat de nationalité française : p. 23.

Chambres de commerce et d'industrie françaises à l'étranger : p. 40.

change : p. 33-107.

chantiers de jeunes : p. 53.

chômage : p. 83 à 87-111-112.

chômeur : p. 79.

Comité catholique des amitiés françaises dans le monde : p. 38.

Comité consulaire pour l'emploi et la formation professionnelle : p. 32-44-111.

Comité de coordination du service volontaire international de l'UNESCO : p. 53.

Comité d'entraide aux Français rapatriés : p. 81-112.

Comité de liaison des ONG du volontariat (CLONG) : p. 53.

Comité protestant des amitiés françaises à l'étranger : p. 38.

Commission nationale de la jeunesse pour le développement (CNJD) : p. 53.

Communauté économique européenne : p. 47-62 à 69-73-79-83-106.

compagnie d'assistance : p. 30-32-59.

Compagnie française pour le développement des fibres textiles (CFDT) : p. 49.

concours : p. 44.

conseillers du commerce extérieur : p. 38.

Conseil Supérieur des Français de l'étranger : p. 34.

consulat : p. 20.

contrôle des changes : p. 33-107.

conventions fiscales : p. 90-91.

conventions de Sécurité sociale : p. 62.

coopérants : p. 45-54.

coopération (service national) : p. 45.

cours par correspondance : p. 99-100.

d

décès : p. 24-30.

déclaration d'impôts : p. 93-95.

Délégation catholique pour la coopération (DCC) : p. 54.

déménagement : p. 32-106.

Département évangélique français d'action apostolique (DEFAP) : p. 54.

détachés (salariés) : p. 62-63-83.

Direction des Français à l'étranger et des Etrangers en France : p. 13 à 15.

Direction de l'industrie touristique : p. 46.

Direction des relations économiques extérieures (DREE) : p. 46.

divorce : p. 26.

documentation : p. 16.

documentation française : p. 16.

domicile fiscal : p. 92-94.

douanes : p. 32-106-107.

double nationalité : p. 22.

e

emploi : p. 31-32-44 à 54.

enseignants : p. 42-45.

enseignement à distance : p. 99-100.

enseignement primaire et secondaire : p. 98.

enseignement supérieur : p. 100.

enseignement universitaire : p. 109.

état civil : p. 23 à 26.

étudiants : p. 79.

expatriés : p. 63 à 76-84.

f

Fédération des anciens combattants : p. 40.

Fédération des associations de parents d'élèves des établissements d'enseignement français à l'étranger (FAPEE) : p. 39.

Fédération des associations des ruraux migrant à l'étranger (FARME) : p. 51.

Fédération des Conseils de parents d'élèves des écoles publiques (FCPE) : p. 39.

Fédération internationale des Accueils français : p. 41.

Fédération des professeurs français résidant à l'étranger : p. 39.

femmes chargées de famille : p. 79-80.

fiscalité : p. 32-90 à 96.

formation professionnelle : p. 41.

g — h

Groupement des ASSEDIC de la région parisienne (GARP) : p. 83 à 87.

guides administratifs : p. 17-18.

handicapés : p. 81.

i

identité : p. 22.

immatriculation : p. 21-22-109.

impôts : p. 32-90 à 96-108.

inactifs : p. 79.

incarcération : p. 29.

information : p. 15.

Institut français de recherche scientifique pour le développement en coopération (ORSTOM) : p. 50.

Institut de recherches et d'applications des méthodes de développement (IRAM) : p. 51.

instruments internationaux de sécurité sociale : p. 64-74-77.

internats : p. 101-102.

j — k

jeunes : p. 52 à 54.

journaux officiels : p. 91.

justice : p. 23-26-29.

KORA (Centre pour la rencontre et le développement) : p. 54.

l

laissez-passer : p. 22.

m

maison de retraite : p. 81.

maladie-maternité : p. 63 à 69-74 à 80-87.

mariage : p. 24-25.

mères de famille : p. 79-80.

militaire (livret) : p. 108.

ministères : p. 13 à 16-44 à 46.

Mission laïque française : p. 40.

mobilier : p. 32-106-107.

n

naissance : p. 24.

nationalité : p. 23-25.

notariat : p. 26.

o

Office national d'immigration : p. 47.

Organisations internationales : p. 46.

Organisations non gouvernementales (ONG) : p. 52 à 54.

p

passeport : p. 22.

pensions (paiement) : p. 28.

pensionnés : p. 77.

pensions alimentaires : p. 28-29.

pensions d'invalidité : p. 65-67-79.

pensions de vieillesse : p. 65 à 67-77.

permis de travail : p. 31-32.

personnes âgées : p. 81-82.

perte de document : p. 22-23.

perte d'emploi : p. 83 à 87-111-112.

prestations familiales : p. 63 à 66.

prévention médicale : p. 56 à 59.

prévoyance : p. 72.

professeurs : p. 45.

protection : p. 29-30.

protection sociale : p. 62 à 87.

q

quitus fiscal : p. 32-106.

r

rapatriés : p. 81-87.
rapatriement : p. 28.
recensement : p. 26.
reconnaissance : p. 24.
réinsertion professionnelle :
p. 111-112.
résident : p. 31-33-107.
retour : p. 106 à 112.
retraites : p. 28-69 à 72-76-77.

s

salariés détachés : p. 62-63.
salariés expatriés : p. 63 à 70.
SCET AGRI-BDPA (bureau pour le développement de la production agricole) : p. 50.
scolarisation : p. 98 à 103-107-109.
Sécurité sociale : p. 62 à 70.
Sénateurs : p. 34-35.
Service central de l'état civil :
p. 24-25.
Service central des candidatures :
p. 45.
Service des fonctionnaires internationaux : p. 46.
Service national : p. 26-27.
Service national dans la coopération :
p. 45.
Service pour l'emploi des Français à
l'étranger (SEFRANE) : p. 47.
Service du placement international du
centre régional d'Alsace : p. 48.
Service du placement international du
centre régional de Rhône-Alpes :
p. 48.
Service spécialisé pour l'emploi dans la
CEE : p. 47-48.

Société française d'ingénierie
(BCEOM) : p. 50.
syndicats nationaux d'enseignants : p.
42.

t

Tiers monde : p. 52 à 54.
Tourisme (Services officiels du) : p. 46.
traités de réciprocité : p. 90.
transcription : p. 25.
travailleurs non salariés détachés :
p. 73.
travailleurs non salariés expatriés :
p. 73 à 75.
trousse médicale : p. 57.

u

UNESCO : p. 53.
Union des chambres de commerce et
d'industrie françaises à l'étranger :
p. 40.
Union fédérale des associations de
parents d'élèves des établissements
français à l'étranger (UFAPE) : p. 40.
Union des Français de l'étranger
(UFE) : p. 36.
Union nationale des accueils des villes
françaises (AVF) : p. 41-112.
Union nationale interprofessionnelle
pour l'emploi dans l'industrie et le
commerce (UNEDIC) : p. 112.

v

vaccinations : p. 56-57.
veuvage : p. 69-70-75-80.
vieillesse (assurance) :
p. 69-70-75-80.
visite médicale : p. 56-57.
vol de documents : p. 22-23.
vote : p. 27-28.

Achevé d'imprimer
sur les presses de l'imp. Maulde et Renou et cie
144, rue de Rivoli — Paris
Dépôt légal : 1er trimestre 1988